確かな力が身につく

C#

「超」入門

著=北村愛実

第3版

本書に関するお問い合わせ

この度は小社書籍をご購入いただき誠にありがとうございます。小社では本書の内容に関するご質問を受け付けております。本書を読み進めていただきます中でご不明な箇所がございましたらお問い合わせください。なお、お問い合わせに関しましては下記のガイドラインを設けております。恐れ入りますが、ご質問の際は最初に下記ガイドラインをご確認ください。

ご質問の前に

小社Webサイトで「正誤表」をご確認ください。最新の正誤情報をサポートページに掲載しております。

▶ **本書サポートページ**

`URL` https://isbn2.sbcr.jp/23173/

上記ページの「正誤情報」のリンクをクリックしてください。なお、正誤情報がない場合、リンクをクリックすることはできません。

ご質問の際の注意点

・ご質問はメール、または郵便など、必ず文書にてお願いいたします。お電話では承っておりません。

・ご質問は本書の記述に関することのみとさせていただいております。従いまして、○○ページの○○行目というように記述箇所をはっきりお書き添えください。記述箇所が明記されていない場合、ご質問を承れないことがございます。

・小社出版物の著作権は著者に帰属いたします。従いまして、ご質問に関する回答も基本的に著者に確認の上回答いたしております。これに伴い返信は数日ないしそれ以上かかる場合がございます。あらかじめご了承ください。

ご質問送付先

ご質問については下記のいずれかの方法をご利用ください。

▶ **Webページより**

上記のサポートページ内にある「お問い合わせ」をクリックすると、メールフォームが開きます。要綱に従って質問内容を記入の上、送信してください。

▶ **郵送**

郵送の場合は下記までお願いいたします。

〒106-0032
東京都港区六本木2-4-5
SBクリエイティブ　読者サポート係

はじめに

　今や、パソコンだけでなくスマートフォン、ゲーム機、家電、玩具まで、どこでもプログラムが動くようになっています。プログラムが使われる環境が時代とともに広がったため、これからの時代はプログラムを書ける能力が求められます。現に2020年から小学校でのプログラミング教育が必修となりました。

　プログラミング能力が求められている時代だからこそ、身につけたいと思っている方は沢山いるでしょうし、この本を手に取ってくれたあなたもそうだと思います。本書では、簡単なプログラムからWindowsアプリケーションまで作ることができる、C#という言語を解説しています。C#は2000年代にMicrosoft社がリリースした比較的新しいプログラミング言語で、多くの開発現場で使われる言語です。有名なゲーム開発エンジンであるUnityもC#を採用していて、その動作速度・大規模開発への耐性は信用されてると言えます。

　ただ、高機能であるその反面、入門するときの敷居は低くはありません。C#は過去の言語であるC++やJavaをベースに作られているため、基礎的な文法だけでなく、オブジェクト指向の考え方、コレクションやLINQといった比較的新しい機能など、学ぶことは非常に沢山あります。全てを理解しようとすると、それだけで長い時間が必要になってしまいます。

　そこで、C#の文法からはじめてWindowsアプリケーションが作れるようになるために必要な最低限の知識が、段階的に身につくように本書を作りました。大きく分けると文法の章、オブジェクト指向の章、Windowsアプリケーションを作成する章の3部構成になっていて、1つひとつが次の章へのステップになっています。

　文法の章では、C#でよく使われる文法を解説しています。文法だけ学んでも実際どんなときに使えるかわからない、ということにならないよう、本書ではゲームを例に使い所を解説しています。オブジェクト指向についても、プログラムの学習を始めたばかりで大きなプログラムを作ったことがない場合は、オブジェクト指向がどう便利なのかを実感しにくいこともあるかと思います。そこで、こちらもゲームを例に開発体験をしながら、オブジェクト指向の使い所を理解できるような構成にしています。Windowsプログラムの章では、Windowsアプリケーションの作り方を紹介しています。

　C#などのプログラミング言語は英語などの言語と同じで、一朝一夕に身につくものではありません。本書を買ったからといって、明日起きればバリバリプログラムが書けるようになっているという夢のような話はありません。本書はあなたの学習のお手伝いをする道しるべに過ぎません。プログラミングという分野を実際に歩いて開発していくのはあなたです。ぜひ、C#でのアプリケーション開発をマスターしてください。あなたが作ったアプリケーションがリリースされることを楽しみにしています。

2023年8月 北村愛実

Contents

chapter 3 C#の文法

037

⚜4⚜ オブジェクト指向　　111

Chapter 5 C# 応用編

169

chapter 6 Windowsアプリケーション作りの基礎　211

chapter 7 Windowsアプリケーションの作成 237

本書内で掲載したサンプルプログラムならびに、サンプルのプロジェクトファイルは、本書のサポートページよりダウンロード可能です。

▶ **本書のサポートページ**
　URL https://isbn2.sbcr.jp/23173/

サンプルファイルはzip形式で圧縮されております。ダウンロード後にローカル環境に展開・保存してご使用ください。サンプルファイルは、以下のようなフォルダー構成になっております。

・「list」フォルダー　　　：本書内に掲載したサンプルプログラムが収録されています。
・「sample」フォルダー：本書内で作成したサンプルのプロジェクトファイルが収録されています。
・「answer」フォルダー：練習問題の解答例が収録されています。

Chapter 1

イントロダクション

本書は、Windowsで動く「アプリケーション」が作れるようになることを目標としています。1章では、どのように学習を進めていくのかを紹介します。また、C#とはどのような言語なのか、.NET Frameworkとは何なのか、これから学んでいく「プログラミング言語」についても簡単に紹介します。

本書で学べる内容

本書は、これからC#プログラミングの学習を始める方を対象に、ゼロからスタートしてWindowsアプリケーションが作れるようになることを目標としています。Windowsアプリケーションを作るためには、「C#の文法」「オブジェクト指向」「統合開発環境（Visual Studio）の使い方」などの知識を身につける必要があります。

C#の文法ひとつとっても、1冊の本では網羅しきれないほどの分量があります。そこで本書では、文法やオブジェクト指向の枝葉末節は省き、「Windowsアプリケーションを作るために必要な知識」を中心に説明します。この本を読み進めることで、「C#の文法」→「オブジェクト指向」→「C#の応用」→「Windowsアプリケーション」という流れでWindowsアプリケーションを作るために必要な技術や知識を段階的に身につけていく構成になっています。

Fig　本書の学習の進め方

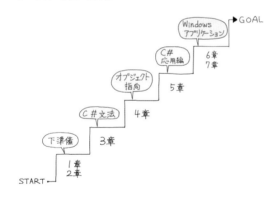

「プログラミング言語」と呼ばれることからもわかるように、「英語」や「フランス語」などと同じで、プログラムも「読み」「書き」「音読」を繰り返すことがとても大切です。本書に載せているサンプルを読むだけではなく、ぜひ手を動かして入力してみてください。「音読」は冗談でしょ？と思うかもしれませんが、読みながらプログラムを入力したり、作ったプログラムを自分の言葉で説明したりして、声に出すほうが頭に定着しやすくなります。

1章と2章ではC#やVisual Studioの概要を紹介し、プログラミングをするための下準備をします。

　3章ではサンプルプログラムを作りながらC#の文法を学習します。文法の説明と合わせて練習問題を用意しているので、こちらも解きながら読み進めてください。小さな実践を積み重ねることでプログラミングの考え方が身につきます。

　4章ではオブジェクト指向について説明します。オブジェクト指向とはどのようなもので、どんなメリットがあるのか、サンプルプログラムを作りながら学習しましょう。

　5章ではC#の一歩踏み込んだ文法を紹介します。

　6章と7章ではVisual Studioの使い方とWindowsアプリケーションの作り方を紹介します。本書ではWindowsアプリケーションを作る手順を3つのステップに分けて説明します。この手順に従って作ることで、ある程度機械的にアプリケーションが作れるようになります。6章と7章でWindowsアプリケーションを作りながら、この手順を学びましょう。

コンピュータがアプリケーションを実行するまで

　普段使っているコンピュータは、様々な部品から成り立っています。その中でも主要な部品は、CPU（Central Processing Unit）、ストレージ、メモリの3つです。

　CPUはコンピュータ内で行われる処理を一手に引き受ける心臓部分です。ストレージは音楽ファイルや画像ファイル、テキストファイルや各アプリケーションなどのデータを保存しておく場所です。メモリは、CPUで処理するプログラムやデータを一時的に置いておく場所です。

Fig　コンピュータを構成する主要な部品

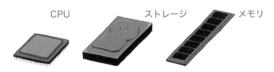

CPU　　　　ストレージ　　　メモリ

　これら3つの部品が、どのように連携してアプリケーションを動かすのかを簡単に説明します。

　Windowsのアプリケーションは、全てストレージに保存されています。アプリケーションを起動すると、アプリケーションのプログラムがストレージからメモリにコピーされ、それをCPUが解釈して実行します。アプリケーションを終了すると、メモリにコピーしたプログラムは消去されます。

Fig　アプリケーションを実行する流れ

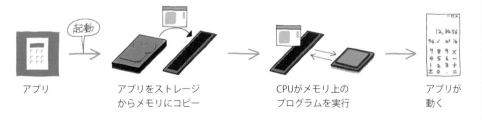

アプリ　　　　　アプリをストレージ　　　CPUがメモリ上の　　アプリが
　　　　　　　　からメモリにコピー　　　プログラムを実行　　動く

1-2

プログラムとC#

1-2節では、プログラムとはどのようなものか、本書で学ぶC#にはどのような特徴があるのか
を説明します。

 ## プログラムとは

プログラムとはコンピュータを動かす命令書のようなものです。プログラムは人間が理解しやす
いプログラミング言語というもので書かれており、それをコンピュータが理解できる「0」と「1」で
表されたファイルに変換します。コンピュータはそのファイルに書かれた命令に従って、処理を実
行します。

人間にわかる言語でプログラムを書くことをプログラミングと言います。また、プログラムをコン
ピュータが理解できる形式に変換することをコンパイル、変換するツールをコンパイラと呼びま
す。変換後のファイルは実行ファイルやアプリケーションなどと呼びます。

Fig　プログラムは実行ファイルに変換される

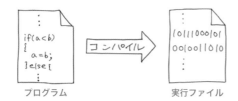

プログラミング言語にはC++やJava、C#など様々な種類があります。

本書では、C#と呼ばれる言語を使ってプログラミングを行います。そして、C#でプログラミン
グしたプログラムをコンパイルするために、Microsoft社が提供しているVisual Studioと呼ばれ
るツールを使います。Visual Studioはコンパイラだけでなく、プログラムを書くためのテキスト
エディターや、プログラムのエラーを解析するためのデバッガなど、プログラミングを行うために
必要なツールを1つにまとめた統合開発環境です。

Fig　Visual Studioは様々な機能を持った統合開発環境

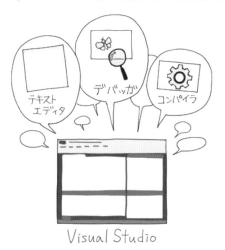

Visual Studioは非常に高機能なので、初めて目にしたときは複雑そうで戸惑うかもしれません。本書ではプログラムやWindowsアプリケーション作りに必要な機能に絞って説明していきます。徐々に慣れていきましょう。

Fig　Visual Studioの画面

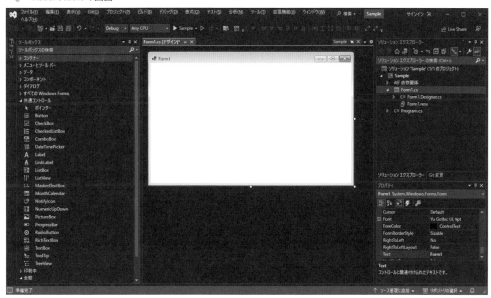

🥊 C#と.NET Framework

　本書で学ぶC#はMicrosoft社が2000年代にリリースした言語です。C#ができるまでの言語の歴史を簡単にまとめると次のようになります。

Fig　C#ができるまで

1970年代　　　　1980年代　　　　1990年代　　　　2000年代

　それぞれのプログラミング言語はまったく異なるものではなく、過去の言語をベースにしながら作られています（また、過去の言語だからと使われなくなることはありません。それぞれの長所を活かす場所で使われ続けています）。C#は後発の言語なので、それまで使われてきた言語のいいところをふんだんに吸収した非常に使いやすい言語です。C++で採用されたオブジェクト指向やJavaで採用されたバーチャルマシンなどの機能も盛り込まれているため、大規模なアプリケーションを効率的に開発できます。

Fig　C#プログラムの例

```
int[] data = new int[] {1,2,3,4,5};
int sum = 0;

for(int i = 0; i < 5; i++)
{
    sum += data[i];
}
Console.WriteLine(sum);
```

　さらにC#では、.NET Frameworkを使ってプログラムを作ることができます。.NET FrameworkはC#プログラムを動かすための共通言語ランタイム（CLR）、Microsoft社が提供しているプログラムの部品（クラスライブラリと呼びます）、データベースや通信といったアプリケーション用のプログラムなどをまとめたフレームワークです。.NET Frameworkを利用することで、高度な機能を持つWindowsアプリケーションを手軽に開発できるようになります。また、.NETを使うことで、WindowsだけではなくmacOSやLinuxで動くコンソールアプリケーションを作ることもできます。

Fig .NET Frameworkを使うと高度なアプリケーションが作りやすくなる

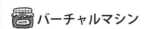

.NET Framework

バーチャルマシン

　Javaはプログラムをいきなり実行ファイル（コンピュータが理解できる「0」と「1」の羅列）にするのではなく、一旦バイトコードと呼ばれる中間言語に変換して、その中間言語をJavaのバーチャルマシン（Java VM）の上で実行します。Javaで作ったプログラムはJava VM上で実行されるので、Java VMさえインストールしてあれば、WindowsやmacOSなどのOSによらず、どのコンピュータでも動かすことができます。

Fig Java VMがあれば環境に依存しない

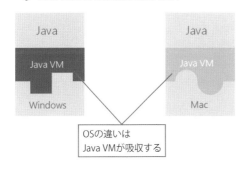

OSの違いは
Java VMが吸収する

　C#もJavaと同じように、**MSIL**（MicroSoft Intermediate Language）と呼ばれる中間言語に変換し、.NET Frameworkに含まれる**CLR**（Common Language Runtime）と呼ばれるバーチャルマシンの上で実行します。したがってC#のプログラムも、.NET Framework（Windows以外は.Net）をインストールしているコンピュータであれば実行できます。

Fig C#はCLR上で実行される

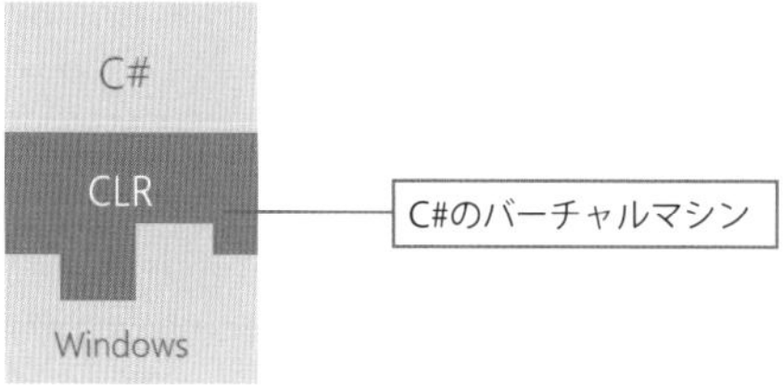

C#

CLR ──── C#のバーチャルマシン

Windows

Chapter 1 の まとめ

　本章では、プログラムやコンパイルなどの概要、C#言語の成り立ちと利点、.NET Frameworkについて学習しました。次章では、C#でプログラムを書いてコンパイルしたりWindowsアプリケーションを作ったりするためのツール「Visual Studio」をインストールします。

Chapter2

開発環境の準備

2章ではC#を使ったプログラミングや、Windowsアプリケーションを開発するための統合開発環境「Visual Studio」をインストールしていきます。また、この開発環境を使って、「Hello, C#」と表示するだけの簡単なプログラムを作ります。この章ではプログラムの細かい部分よりも、プログラムを作る流れをしっかりと把握しましょう。

Visual Studioを
インストールする

1章で説明したように、プログラムを作るためにはコンパイラなどのツールが必要になります。2-1節では、Microsoft社が提供している統合開発環境Visual Studioのインストールを行います。

 ## Visual Studioとは

C#のプログラムを作って動かすためには、プログラムを書く**テキストエディター**や、プログラムを実行ファイルに変換する**コンパイラ**や、**ランタイム**（プログラムの実行に必要な機能）などが必要になります。

Visual Studioはこれらの機能を全て含んだ統合開発環境（Integrated Development Environment：IDE）です。したがって、Visual Studioをインストールすれば、すぐにC#でプログラミングが始められます。

Visual Studioには目的によって3つのエディションが提供されています。Communityエディションは誰でも無料で使えるので、最初はこのエディションから始めるとよいでしょう。また、本書の執筆時点（2023年8月）では、「Visual Studio 2022」が最新のバージョンとなっています。

Table Visual Studioのエディション

エディション	用途
Community 2022	個人の開発者向けの無償の統合開発環境
Professional 2022	小規模なチームのためのプロフェッショナル開発者用ツール
Enterprise 2022	大規模開発までカバーする開発者用ツール

 ## ダウンロードとインストール

本書ではVisual Studio Community 2022エディションを使って説明していきます。インストールするための必要なシステム要件は次のようになっています。

Table　Visual Studio Community 2022エディションに必要なシステム要件

項目	要件
OS	Windows 10以上
CPU	ARM64またはx64プロセッサ
メモリ	4GB以上のRAM
ハードディスク	800MB 〜 210GBの空き容量
解像度	WXGA（1366×768）以上

　システム要件が確認できたら、Microsoft社のサイトからVisual Studioをダウンロードしましょう。次のURLにアクセスし、Visual Studioのダウンロードにマウスカーソルを合わせ、Community 2022をクリックしてください。macOSにインストールする場合は、18ページに進んでください。

▶ **Visual Studioのダウンロードサイト**
　URL　https://visualstudio.microsoft.com/ja/

Fig　Visual Studioのダウンロードサイト

Visual Studioのダウンロードにマウスカーソルを合わせ、Community 2022をクリック

しばらくするとインストーラのダウンロードが始まります。ダウンロードが終了したらインストーラを起動してください（ダウンロードしたファイルの実行は、各自の環境に合わせて行ってください）。

Fig　インストーラを起動する

ダウンロードしたインストーラ
を起動する

次のような画面が表示されるので、はいボタンをクリックしてください。

Fig　インストールを許可する

はいをクリック

続けて表示される画面で続行ボタンをクリックして、セットアップ画面が表示されるまで数分待ちます。

Fig セットアップ画面の表示まで

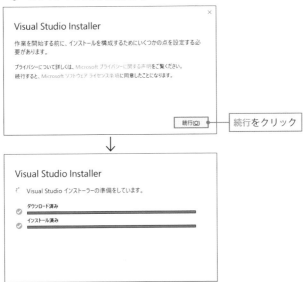

セットアップ画面が表示されたら、.NETデスクトップ開発とユニバーサルWindowsプラットフォーム開発にチェックを入れて、インストールボタンをクリックします。

Fig インストールする開発環境を選択する

選択した開発環境のインストールが始まるので、完了するまで待ちます。

Fig インストールが開始される

インストールが完了すると、Visual Studioが起動します。なお、インストール後にコンピュータの再起動を求められる場合があります。その際は、表示される画面の指示に従って再起動を行ってください。

🍯 スタートメニューからVisual Studioを起動する

Windowsのスタートメニューから Visual Studioを起動する場合は、タスクバーのWindowsマークのボタンをクリックし、すべてのアプリボタンで表示されるアプリケーション一覧の「V」の項目から Visual Studio 2022を選択してください。

Fig スタートメニューから起動する

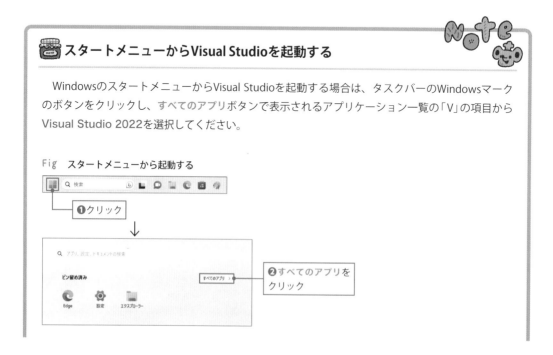

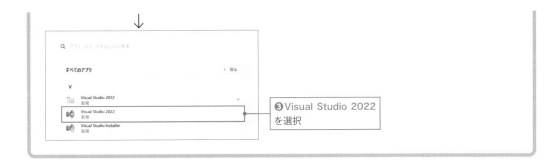

 ## アカウントの設定

　最初にVisual Studioを起動すると、アカウントの設定を求められます。サインインボタンをクリックして、お持ちのMicrosoftアカウントを入力してください。Microsoftアカウントを持っていない場合は、サインインボタンの下にあるアカウントの作成をクリックしてアカウントを作成してください。

Fig　Microsoftアカウントでサインインする

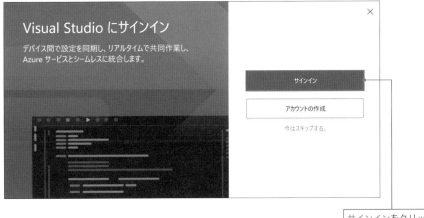

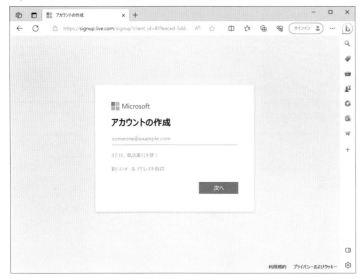

 ## Visual Studioの環境設定

　初回起動時にはVisual Studioの環境設定を行う画面が表示されます。開発設定の全般を選択してください。配色テーマはお好きな色を選択してください（本書では濃色のテーマを使用します）。

Fig　環境を選択する

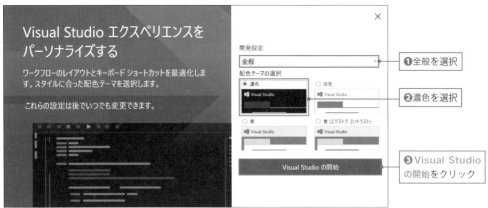

環境設定が終わると次のような画面が表示されます。

Fig　Visual Studioが起動する

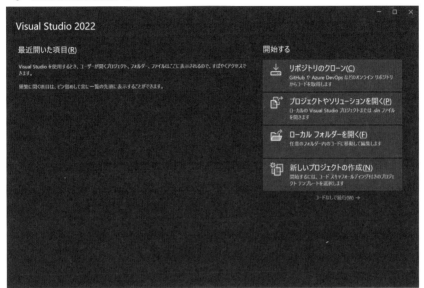

スキンの色を変更したい場合

　Windowsの場合は、メニューバーの**ツール→オプション**をクリックしてオプション画面を開き、左側の項目から**環境→全般**を選択してください。視覚的効果の配色テーマでエディターの色を変更できます。
　macOSの場合は、メニューバーの**ツール→ユーザー設定**をクリックして、左側の項目から**環境→視覚スタイル**を選択してください。**インターフェイス**でエディターの色を変更できます。

Visual Studioのアイコンが見つからない場合の起動方法

　Windowsのタスクバーの「検索」の欄に「Visual Studio」と入力し、候補に出てくるアイコンをクリックしてください。

macOSでVisual Studioを使う場合

　macOSでC#のプログラムを作るためには、Microsoftのダウンロードサイトから「Visual Studio for Mac」をダウンロードします。なお、macOSでは6章と7章のWindowsアプリケーションは作成できないのでご注意ください。

> ▶ **Visual Studioのダウンロードサイト（macOS）**
> `URL` https://visualstudio.microsoft.com/ja/vs/mac/

Fig　Visual Studio for Macのダウンロード

❶ダウンロードをクリック

❷Visual Studio for Macの
無料ダウンロードをクリック

　ダウンロードが終了したら、インストーラを起動してください。

Fig　インストーラを起動する

VisualStudioForM
acInstall...dfd.dmg
49.9 MB

❶インストーラを起動

❷ダブルクリック

Install Visual Studio for Mac

表示されるメッセージを確認して、インストールを実行します。

Fig　インストールを実行する

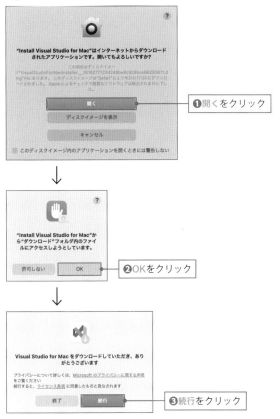

❶開くをクリック

❷OKをクリック

❸続行をクリック

.NETがチェックされているのを確認して、インストールボタンをクリックします。

Fig　インストールする開発環境を選択する

❶.NETのチェックを確認する

❷インストールをクリック

開発環境のインストールが始まるので、完了するまで待ちます。インストールの途中でパスワードの入力が求められる場合があります。その際はmacOSのログインパスワードを入力して先に進んでください。

Fig　インストールが開始される

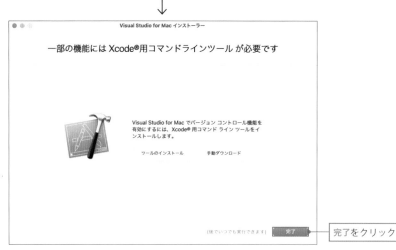

続けて、アカウントの設定を行います。Microsoftアカウントでサインインボタンをクリックして、お持ちのMicrosoftアカウントを入力してください。あるいは、アカウントをお持ちでない場合は、無料で作成できます。をクリックしてアカウントを作成してください。

Fig　アカウントの設定

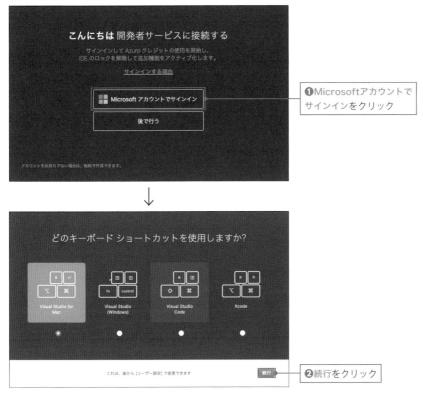

❶Microsoftアカウントで
サインインをクリック

❷続行をクリック

「Visual Studioの更新」という画面が表示された場合は、画面の指示に従って更新を行ってください。

インストールが完了すると、Visual Studio for Macが起動します。

Fig　Visual Studio for Macの起動画面

2-2

プロジェクトの作成から
実行まで

Visual Studioがインストールできたので、さっそくプログラムを作って動かしてみましょう。
2-2節では画面に「Hello, C#」と表示するだけの簡単なプログラムを作ります。

 プロジェクトを作成しよう

Visual Studioでアプリケーションを作る場合、アプリケーションごとにプロジェクトを作ります。

プロジェクトを作ると、プロジェクトごとにフォルダーが作成されます。アプリケーションを作るために必要なプログラムや画像などは、作成されたフォルダー内でまとめて管理されます。

Fig　アプリケーションはプロジェクトで管理する

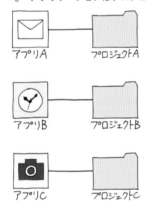

新しくプロジェクトを作成しましょう（macOSの場合は25ページに進んでください）。
Visual Studioの起動画面から新しいプロジェクトの作成を選択してください。

Fig　プロジェクトを新規作成する

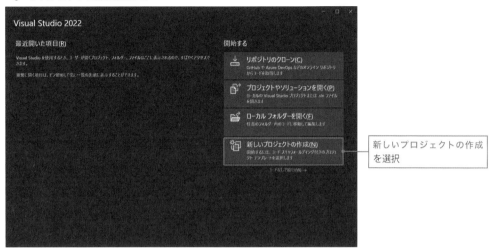

新しいプロジェクトの作成画面の右側からコンソールアプリを選択してください（コンソールア
プリにはC#用とVB用の2種類がありますが、C#のタグがある方を選んでください）。そして次へ
ボタンをクリックしてください。

Fig　プロジェクトの種類を選択する

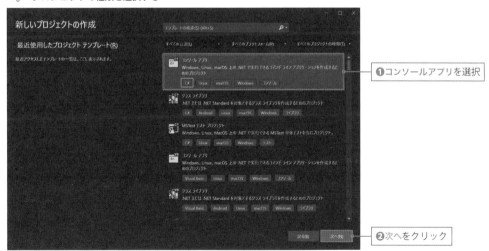

プロジェクト名は、任意の名前を入力できます。ここでは「Sample」と入力しましょう。また、プロジェクトを保存する場所を指定してください（任意の保存先で構いません）。デフォルトでは、プロジェクトのデータは「C:￥Users￥ユーザー名￥source￥repos」フォルダーの下に保存されます（ドライブ名とユーザー名はそれぞれの環境によって異なります）。次へボタンをクリックしてフレームワークの設定に進みます。

Fig　プロジェクトの名前を入力する

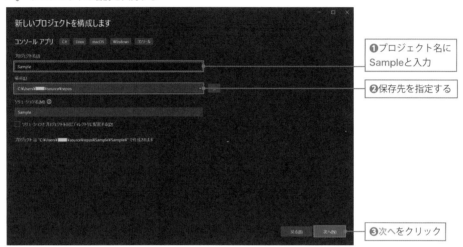

　フレームワークは変更せず、作成ボタンをクリックしてください。プロジェクトが作成されます。

Fig　フレームワークの設定

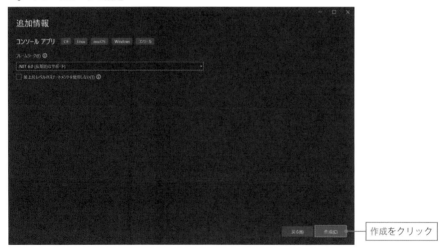

macOSでプロジェクトを作成する場合

macOSの場合は、Visual Studio for Macの起動画面で新規を選択します。

Fig　プロジェクトを新規作成する

新しいプロジェクトの作成画面が開くので、画面左側から**Webとコンソールのアプリ**を選択し、画面中央から**コンソールアプリケーション**を選択して、続行ボタンをクリックします。

Fig　プロジェクトの種類を選択する

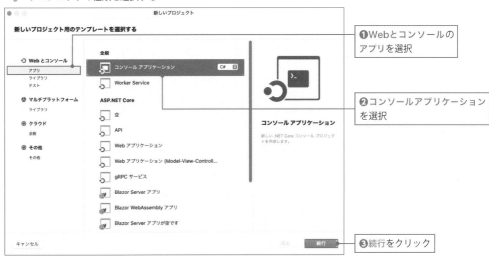

25

ターゲットフレームワークは変更せず、続行ボタンをクリックします（インストールしたVisual
Studioのバージョンによっては、この画面は出ないこともあります）。

Fig　フレームワークを選択する

プロジェクト名に「Sample」と入力し、任意の保存場所を選択して、作成ボタンをクリックします。
デフォルトの保存場所は「/Users/ユーザー名/Projects」フォルダーの下になります（ユーザー
名はそれぞれの環境によって異なります）。

Fig　プロジェクトの名前を入力する

Visual Studioの画面構成を確認しよう

　「コンソールアプリ」のプロジェクトが作成できると、次のような画面が表示されます。コンソールアプリを作る際に必要な各ウィンドウの役割を簡単に見ておきましょう。

Fig　プロジェクトの初期画面

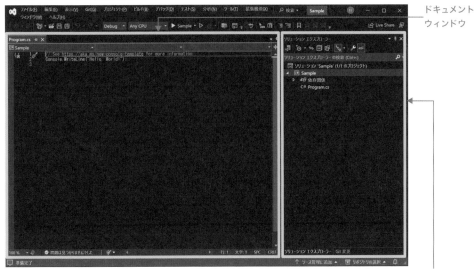

ドキュメント
ウィンドウ

ソリューション
エクスプローラー

♦ ドキュメントウィンドウ

　ドキュメントウィンドウは、プログラムを入力するための場所です。プロジェクトを作成すると、「Program.cs」というプログラムのファイルが生成され、このファイルにプログラムを追記していきます。

　Visual Studioでは、1つのプロジェクト内に複数のプログラムのファイルを作ることができます。複数のプログラムを編集する場合は、ウィンドウ上部にあるタブで切り替えられます。

♦ ソリューションエクスプローラー

　作成したプロジェクトに含まれているプログラムのファイル、テキストファイル、画像ファイルなどが一覧形式で表示されるウィンドウです。アプリケーションの作成に必要なプログラムや素材はソリューションエクスプローラーから追加します。

　Visual Studioを起動した際にソリューションエクスプローラーが開いていない場合は、Windowsはメニューバーから表示→ソリューションエクスプローラーを選択、macOSはメニューバーから表示→ソリューションを選択してください。

プログラムを書いてみよう

ドキュメント・ウィンドウを見ると、初期状態で既にプログラムが書かれています。これを書き換えて、「Hello, C#」と表示してみましょう。

♦ プログラムを記述する

ドキュメントウィンドウに表示されているプログラムに、以下のような記述があります。

```
Console.WriteLine("Hello World!");
```

次のように書き換えてみましょう。「Hello, C#」の前後の「"」を忘れずに入力してください。最後の「;」も忘れやすいので注意しましょう。

List 2-1 最初のC#プログラム（Program.cs）   🔲 list2-1.txt

```
1 // コンソールに文字列を表示する
2 Console.WriteLine("Hello, C#");
```

♦ プログラムを保存する

プログラムを入力できたら保存しましょう。保存はメニューバーからファイル→Program.csの保存を選択するか、Ctrl＋Sキーを入力してください。macOSの場合は、ファイル→Program.csの保存を選択するか、command＋Sキーを入力してください。

Fig プログラムを保存する

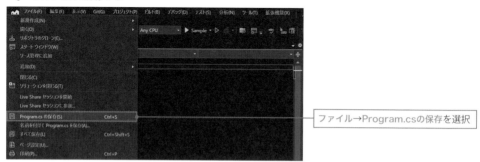

ファイル→Program.csの保存を選択

今保存したプログラムのファイルは、「Sample」という名前のプロジェクトフォルダーに入っています。先ほどプロジェクトを作るときに付けた名前が、そのままフォルダー名になっています。

♦ プログラムを実行する

　保存できたら「ビルド」して実行します。Visual Studioでは、プログラムをコンパイルし、画像データの関連付けなどを行ってアプリケーションを作る一連の流れをビルドと呼びます。

　メニューバーからデバッグ→デバッグなしで開始を選択（ショートカットキーは、Windowsの場合は Ctrl + F5 キー、macOSの場合は option + command + Return キー）してください（macOSで、デバッグなしで開始を選択できない場合は「https://aka.ms/vs/mac/net-6-arm-sdk-migration」をご参考にしてください）。

Fig　ビルド＆実行する

デバッグ→デバッグなしで開始
を選択

　正しくビルドが完了すると、黒いウィンドウ（コンソールウィンドウ、以降「コンソール」と呼びます）が開き、そのウィンドウ上に「Hello, C#」と表示されます。何かキーを押すと、コンソールが閉じてプログラムが終了します（macOSの場合、画面下側にターミナルウィンドウが現れ、実行結果が表示されます）。

　記述したプログラムにミスがあるとエラーウィンドウが出るので、32ページの「プログラムに間違いがあった場合」を参考にしながら間違いを探してください。

Fig　コンソールに「Hello, C#」が表示される

　コンソールに文字列を表示するアプリケーションを作ることができました。書いたプログラムはたった1行ですが、自分の書いたプログラムが動いて、命令通りに表示されると嬉しいですね。

2

2-2
▼
プロジェクトの作成から実行まで

コンソールアプリの実行
「デバッグなしで開始」でプログラムがビルドされ、エラーがなければ自動的に実行されます。

コメント

　プログラム内で「//」以降に書いた文字列はコメントと呼ばれ、プログラムの動作には影響を与えません。28ページのList 2-1では1行目がコメントとなっており、この行は書いても書かなくても実行結果は変わりません。

　コメントはプログラムの内容や動作を説明するために使います。次のように、行の途中に「//」を書いた場合、「//」の後ろに続く1行ぶんの文字列がコメントになります。

　また、複数行にわたってコメントしたい場合は「/*」と「*/」の記号を使います。この2つの記号で囲まれた範囲がコメントとして扱われます。

```
int a = 10;   // これ以降の文字はコメントとして扱われます
/*
複数行のコメントを書くときは
このように書きます
*/
```

プログラムの解説

　今回入力したプログラムの内容を見ていきましょう。

　プロジェクトをビルドして実行すると、プログラムに書いた命令が上から順に実行されます。今回は2行目に、コンソールに文字を表示するプログラム（命令）が書かれています。この行が実行されると、コンソールに「Hello, C#」と表示されます。

Fig　プログラムに書いた命令が実行される

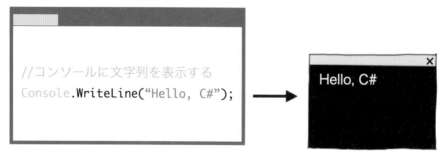

プログラムの実行
ビルド＆実行すると、プログラムに書いた命令が実行されます。

2行目のプログラムについてもう少し詳しく見てみましょう。

このプログラムは、Console.WriteLineメソッドを使って文字をコンソールに表示しています（メソッドについては3章で詳しく説明します）。ここではConsole.WriteLineメソッドは、「Console(コンソール画面)にWriteLine(1行記述)する機能」と覚えておいてください。

Console.WriteLineメソッドに続く()の中に書いた文字がコンソールに表示されます。ここでは()の中に「"Hello, C#"」と書いたので、実行結果として「Hello, C#」という文字列が表示されます。

Fig　ここで記述した命令の意味

🗄️作業途中のプロジェクトを保存・再開する場合

プロジェクトを保存するには、メニューバーからファイル→すべて保存を選択するか、Ctrl＋Shift＋Sキーを入力します（macOSの場合はメニューバーからファイル→すべて保存を選択するか、command＋option＋Sキーを入力します）。

また、プロジェクトを開くには、メニューバーからファイル→開く→プロジェクト/ソリューションを選択するか、起動画面で「プロジェクトやソリューションを開く」を選択し、プロジェクトフォルダー内にあるプロジェクト名.slnファイルを選択してください（macOSの場合はメニューバーからファイル→開くを選択するか、起動画面で「開く」を選択し、プロジェクトフォルダー内のプロジェクト名.slnファイルを選択してください）。拡張子が「.sln」のファイルはソリューションファイルと呼ばれるもので、プロジェクトやソリューションの項目を管理しています。

✏️ 練習問題 2-1

自分の名前をコンソールに表示してみてください。

※練習問題の解答例はサポートページ（https://isbn2.sbcr.jp/23173/）からダウンロードできます。

プログラムに間違いがあった場合

　Visual Studioでは、ビルドの際にプログラムに間違いがないかをチェックしてくれます。プログラムに間違いがあると、次のような画面が表示されます。表示された場合は**いいえ**ボタンをクリックし、Visual Studioの画面に戻って**ミスを修正**しましょう（macOSの場合は下側にエラーウィンドウが現れ、エラーが表示されます。エラーウィンドウは、画面下の「エラー」をクリックして表示することもできます）。

Fig　間違いがあった場合の画面

　プログラムにエラーがある場合、Visual Studioの画面左下に**エラー一覧**というウィンドウが表示されます。プログラムの間違いの一覧が表示されているので、ここを見ながらプログラムを直していきます。プログラムの間違いのことを**バグ**、バグを取り除くことを**デバッグ**と呼びます。

Fig　「エラー一覧」ウィンドウが表示される例

エラーの詳細が表示される

　エラーの内容の例を見てみましょう。重要なのは「**説明**」と「**行**」の項目です。この例では「2行目に;が必要です」というエラーが出ています（List 2-1の2行目の最後の「;」を削除して実行すると、このエラーが出ます）。

Fig　表示されるエラーの内容

また、次のようにドキュメントウィンドウ上でエラーの箇所に赤色の波線が表示されます。

Fig　エラー部分を確認する

```
Program.cs ⊞ ×
C# Sample
      1     // コンソールに文字を表示する
      2     Console.WriteLine("Hello, C#")
```

　プログラムを修正し（この場合は「;」を入力する）、メニューバーからデバッグ→デバッグなしで開始を選択してプログラムを再度実行してみてください。

　アプリケーションを作るためには、プログラムを間違えたり思い通りの動きにならなかったりしても、根気強く直しながら動かすことが大切です。

 エラー内容とプログラムのバグが一致しないこともある

　「;」を書き忘れた場合には、エラー一覧に「;が必要です」というエラーが出ましたが、バグの内容によっては正しくエラーが表示されない場合があります。

　例えば、「Hello, C#」の前後の「"」を書き忘れた場合、次のようなエラーが出ます。

Fig　「"」を書き忘れた場合のエラー表示

　「"が必要です」というエラーは出ていませんね。このような場合は、エラーで指摘された行数付近のプログラムに間違いがないかを確認してみてください。

「デバッグの開始」と「デバッグなしで開始」の違い

　「デバッグの開始」でビルド＆実行した場合は、プログラムの実行が終わるとコンソールがすぐに閉じてしまいます。「デバッグなしで開始」の場合、29ページの結果画面のようにプログラムの実行が終了してもいきなりコンソールが閉じることはありません。Visual Studio 2019からは「デバッグの開始」でビルド＆実行してもいきなりコンソールが閉じることはなくなりましたが、本書では互換性を考えて「デバッグなしで開始」でビルド＆実行します。

 **プログラムの行番号を表示する**

　Visual Studioを使ってプログラムを作る際、行番号が表示されていると便利です。行数が表示されていない場合は表示しておきましょう。

　メニューバーの**ツール**→**オプション**を選択してください。オプション画面が開いたら、左側の項目から**テキストエディター**→**C#**を選択し、「設定」の行番号にチェックを入れ、**OK**ボタンをクリックしてください（macOSの場合は、メニューバーの**ツール**→**ユーザー設定**を選択してください。ユーザー設定画面が開いたら、左側の項目から**テキストエディター**→**マーカーとルーラー**を選択し、行数を表示にチェックを入れ、**OK**ボタンをクリックしてください）。

Fig　「行番号」を表示する

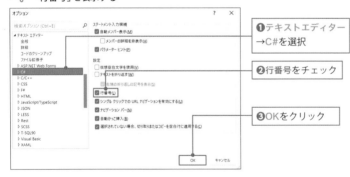

Visual Studioのプロジェクトができる場所（Windowsの場合）

　保存場所がデフォルトの場合、作成したプロジェクトは「C:¥Users¥ユーザー名¥source¥repos」フォルダーの中に作られています（ドライブ名とユーザー名はそれぞれの環境によって異なります）。

　2章で作成した「Sample」プロジェクトの場合、プロジェクトフォルダー内の構成は次のようになっています。「Debug」フォルダーはビルド後に作成されます。このフォルダーの中に作成された実行ファイル（Sample.exe）をダブルクリックしても、アプリケーションを実行することができます。

Fig　プロジェクトフォルダーの構成

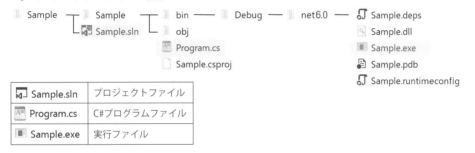

Sample.sln	プロジェクトファイル
Program.cs	C#プログラムファイル
Sample.exe	実行ファイル

プロジェクトの種類

　プロジェクトを作成したときに選択する「コンソールアプリ」は、コンソールウィンドウと呼ばれる画面に、プログラムで指定した文字を表示するアプリケーションです。普段、Windowsを使うときに見ているようなボタンや画像の付いたアプリケーションを作る場合は、「Windowsフォームアプリケーション」を選択します（こちらは6章と7章で説明します）。

Fig　コンソールアプリとWindowsフォームアプリケーション

コンソールアプリ

Windowsフォーム
アプリケーション

次の2行をコンソールに表示してみてください。

```
Hello, C#!
Goodbye, C#!
```

※練習問題の解答例はサポートページ（https://isbn2.sbcr.jp/23173/）からダウンロードできます。

Chapter 2 のまとめ

　2章では、C#プログラムを作成するために、Visual Studioという開発環境の準備を行いました。また、作成したプログラムをビルド＆実行する方法を説明しました。3章では、本格的にC#の文法を学習していきます。

Chapter 3

C#の文法

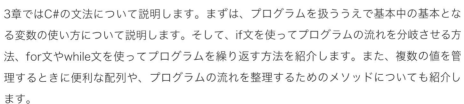

3章ではC#の文法について説明します。まずは、プログラムを扱ううえで基本中の基本となる変数の使い方について説明します。そして、if文を使ってプログラムの流れを分岐させる方法、for文やwhile文を使ってプログラムを繰り返す方法を紹介します。また、複数の値を管理するときに便利な配列や、プログラムの流れを整理するためのメソッドについても紹介します。

練習用プロジェクトの準備

3章ではC#の文法を紹介します。サンプルを読むだけではなく、1つひとつ入力して実行しましょう。理解が深まるとともに身につくスピードも早くなります。

3章にはサンプルプログラムがたくさんあります。サンプルごとに毎回プロジェクトを作ると手間なので、プログラム練習用のプロジェクトを1つ作り、これを書き換えていきましょう。

 ## 練習用のプロジェクトを作っておこう

プロジェクトを作成します。Visual Studioの起動画面で新しいプロジェクトの作成を選択するか、メニューバーでファイル→新規作成→プロジェクトを選択してください（macOSの場合は起動画面で新規を選択するか、メニューバーでファイル→新しいプロジェクトを選択してください）。

Fig プロジェクトを新規作成する

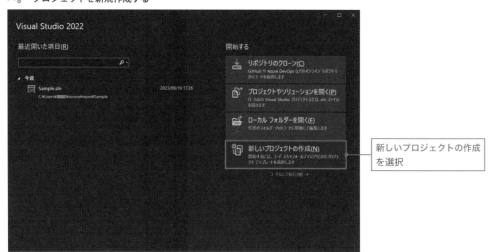

新しいプロジェクトの作成
を選択

新しいプロジェクトの作成画面が表示されます。画面右側から**コンソールアプリ**を選択して、次へボタンをクリックしてください（macOSの場合は新しいプロジェクト画面の左側からWebとコンソール→アプリを選択し、画面中央で**コンソールアプリケーション**を選択してから続行ボタンをクリックしてください。次の画面では、ターゲットフレームワークは変更せずに続行ボタンをクリックしてください）。

Fig　プロジェクトの種類を設定する

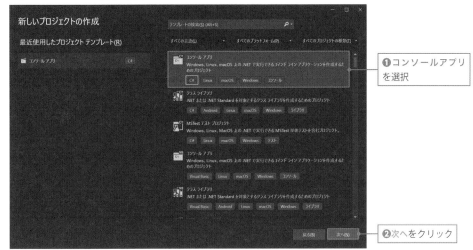

ここではプロジェクト名を「**Example**」としましょう。プロジェクトを保存する場所（任意）を指定して、次へボタンをクリックしてください（macOSの場合はプロジェクト名に「**Example**」と入力して作成ボタンをクリックしてください。プロジェクトが作成されます）。

Fig　プロジェクトの名前と保存場所を設定する

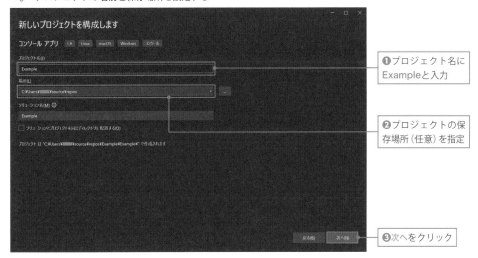

フレームワークは変更せず、作成ボタンをクリックしてください。プロジェクトが作成されます。

Fig　フレームワークの設定

プロジェクトが作成できると、ドキュメントウィンドウに**Program.cs**というC#プログラムの
ファイルが表示されます。

Fig　プログラムの入力箇所

ここにプログラムを入力していく

サンプルプログラムを打ち込む練習用プロジェクトができました。さっそく、このプロジェクト
を使って文法の学習を進めましょう。

3-2

変数でデータを管理する

プログラムでは「変数」という仕組みを利用して、様々な値を扱います。変数は、プログラム中で使う値を保持しておいて、必要なときに出し入れできる仕組みです。変数はプログラムの基本なので、しっかりと使い方をマスターしましょう。

サンプルファイル ▶ list¥chapter3¥list3-1.txt

Sample 01 ユーザーの名前と所持金を変数に入れよう

RPGなどのゲームでは、最初にユーザー名を入力してもらい、それをゲーム中の様々な場面で使います。この場合、入力したユーザーの名前をゲーム内でずっと保持しておく必要があります。

Fig 入力したユーザー名は様々な場面で使用される

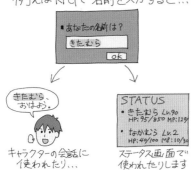

このように何かの値を保存しておくためには、変数（へんすう）を使います。なお、ここで言う値は、数値や文字（文字列）を意味します。

次のプログラムは、プレイヤの「所持金」と「名前」をそれぞれ変数に入れ、変数の値を取り出してコンソールに表示するものです。先ほど作ったExampleプロジェクトのProgram.csファイルを開き、次のプログラムを入力してみましょう。

List 3-1 変数の中身を表示する　　　　　　　　　　　　　　　　　　　　　　　⬇ list3-1.txt

```
 1  // 変数の宣言
 2  int money;     // 所持金を代入する変数
 3  string name;   // 名前を代入する変数
 4
 5  // 変数に値を代入する
 6  money = 5000;
 7  name = "きたむら";
 8
 9  Console.WriteLine(money);   // 所持金を表示
10  Console.WriteLine(name);    // 名前を表示
```

　プログラムを入力し終えると、次のような画面になっていると思います（ここではドキュメント
ウィンドウのみを示しています）。

Fig　プログラム入力後の画面

　なお、本書サポートページより、サンプルプログラムのデータをダウンロードできます。ダウン
ロード後に解凍したサンプルファイルの「list¥chapter3¥list3-1.txt」に上記のプログラムが収録
されています。確認などに利用してください。

▶ 本書のサポートページ
URL https://isbn2.sbcr.jp/23173/

　アプリケーションを実行してみましょう。メニューバーからデバッグ→デバッグなしで開始を選
択（ショートカットキーは、Windowsの場合はCtrl＋F5キー、macOSの場合はoption＋command
＋Returnキー）して、プロジェクトをビルド＆実行してください。

Fig　プロジェクトをビルド＆実行する

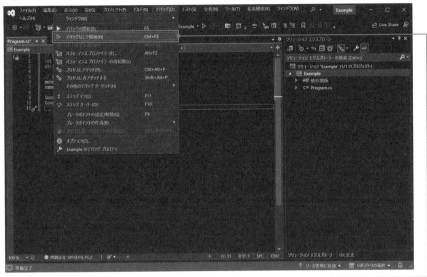

デバッグ→デバッグなしで開始を選択

　実行結果は次の通りです。コンソールに変数の値（数値と文字列）が表示されます。何らかのキー
を押すと、プログラムが終了してVisual Studioの画面に戻ります。

Fig　アプリケーションの実行結果のコンソール

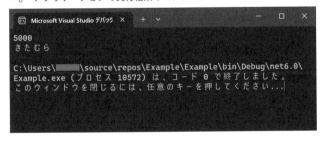

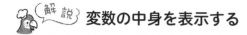

変数の中身を表示する

変数は値を入れる箱のようなものです。この箱を使うためには、

▶ **箱の名前** (変数名)

▶ **箱に入れる値の種類** (型名)

の2つを決めなければいけません。今回のプログラムでは、2行目でint型のmoney変数、3行目でstring型のname変数を作っています。

Fig 変数は値を入れる箱のようなもの

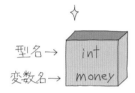

◆ 変数名の付け方

変数 (箱) の名前は基本的に自由に決めてよいのですが、最低限守るべきルールがあります。

▶ **変数名に使用できるのは英数字と「＿」(アンダーバー) とUnicode**

▶ **変数名の1文字目に「数字」は使用できない**

▶ **C#で使用する予約語 (下の表のようにC#の文法上の役割を既に持っている単語) は使用できない**

変数名を付けるときは、上記のルールの範囲内で、変数に入れた値の役割がわかる名前を付けましょう。

Table C#で使用する主な予約語

bool	break	byte	case	catch	char	class	const	continue	decimal
default	do	double	else	enum	extern	false	float	for	foreach
if	int	interface	long	new	null	private	public	ref	return
short	static	string	switch	this	true	using	void	while	

変数名の書き方

変数名は、単語の区切りを大文字にする書き方（playerPositionやmissileSpeedなど）が一般的です。大文字の部分がラクダのコブに見えることから「キャメル記法」と呼ばれます。

◆ 型名の種類

変数に入れる値の種類を、型（もしくはデータ型）と呼びます。型の種類の中でも、よく使うものには次のようなものがあります。

Table　よく使う型の種類

型名	意味	取り得る値	デフォルト値
bool	真偽値	trueまたはfalse	false
byte	8ビット符号なし整数	0 〜 255	0
char	文字	単一のUnicode文字	'¥0'
string	文字列	文字の羅列	null
double	倍精度浮動小数点	$\pm 5.0 \times 10^{-324}$ 〜 $\pm 1.7 \times 10^{308}$	0.0
float	単精度浮動小数点	-3.4×10^{38} 〜 $+3.4 \times 10^{38}$	0.0f
int	整数	-2,147,483,648 〜 2,147,483,647	0

今回のプログラムの2行目では「int money;」と書くことで、int型（整数型）の値を入れるmoneyという名前の変数（箱）を作っています。また、3行目では「string name;」と書くことで、string型（文字列型）の値を入れるnameという名前の変数を作っています。

Fig　名前と型を指定して変数を作る

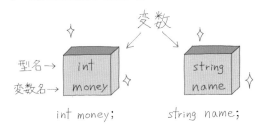

変数の箱を作ることを「変数を宣言する」と言います。

型名　変数名；

◆ 変数に値を入れる

　6行目では「money = 5000;」と書いて、宣言したmoney変数に「5000」という整数を入れています。また、7行目では「name = "きたむら";」と書くことで、name変数に「きたむら」という文字列を入れています。変数に値を入れることを代入（だいにゅう）と呼びます。

変数名　=　値；

　「=」は右辺の値を左辺の変数に代入する記号です。左辺と右辺が等しいという意味ではないので注意しましょう。

Fig　変数に値を代入する

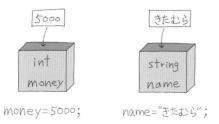

money=5000;　　　name="きたむら";

Point!

変数の使い方
変数は名前と型（値の種類）を指定して宣言し、「=」で値を代入します。

◆ 変数の値を利用する

　9行目と10行目では、Console.WriteLineメソッドを使って変数の中身を表示しています。Console.WriteLineメソッドを使えば、()内に書いた値をコンソールに表示できます。List 2-1（28ページ）のプログラムではWriteLineに続く()の中に値を直接書きましたが、ここでは変数名を書くことで、変数に入っている値（箱の中身）をコンソールに表示しています。

Fig　変数を利用する

```
Console.WriteLine("きたむら");  きたむら      指定した値が
                                             そのまま表示される

name = "きたむら";
Console.WriteLine( name );     きたむら      変数に代入された値が
                                             表示される
```

📠 文字と文字列

　プログラムでは文字と文字列を区別します。文字とは1文字の英数字や漢字、改行文字などを指します。文字は「'」(シングルクォーテーション)で前後を括り、char型に代入します。一方、文字列は複数文字の羅列です。文字列は「"」(ダブルクォーテーション)で括ってstring型に代入します。

```
char moji;
string mojiretu;

moji = 'a';
mojiretu = "おはようございます";
```

サンプルファイル ▶list¥chapter3¥list3-2.txt

Sample 02　プログラムで計算をしてみよう

　プログラムでは足し算や引き算などの計算ができます。次のプログラムは、加減乗除と剰余の計算結果を変数に代入し、その変数の値をコンソールに表示しています。入力して計算結果を確認してみてください。

List 3-2　加減乗除と剰余を求める計算　　　　　　　　　　　　　　　　⬇ list3-2.txt

```
1 int answer;  // 計算結果
2
3 // 加算
4 answer = 3 + 4;
5 Console.WriteLine(answer);
6
```

```
 7  // 減算
 8  answer = 12 - 18;
 9  Console.WriteLine(answer);
10
11  // 乗算
12  answer = 2 * 7;
13  Console.WriteLine(answer);
14
15  // 除算
16  answer = 18 / 3;
17  Console.WriteLine(answer);
18
19  // 剰余
20  answer = 21 % 5;
21  Console.WriteLine(answer);
```

▼ 実行結果

```
7
-6
14
6
1
```

解説 プログラムで計算を行う

　1行目では、計算結果を代入するための「answer」という名前の変数を宣言しています。変数は「値を入れる箱のようなもの」でしたね。4行目では「3＋4」の加算の結果をanswer変数に代入し、5行目で表示しています。このように、変数には計算結果の値を保持しておくこともできます。

　8行目ではanswer変数に減算の結果を代入しています。この場合、もともと変数に入っていた「7」を上書きして、減算結果の「-6」が格納されます。

Fig　変数の値が上書きされる

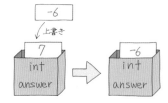

　12行目〜13行目では**乗算**、16行目〜17行目では**除算**、20行目〜21行目では**剰余**の計算を行い、その結果をanswer変数に代入して表示しています。「%」は剰余演算子と呼ばれ、割り算の余りを計算します。ここでは「21」を「5」で割ると、「4余り1」なので、余りの「1」がコンソールに表示されます。

　計算で使用する記号は**算術演算子**と呼ばれ、次のようなものがあります。数学で使う記号と似ていますね。

Table　プログラムで使える算術演算子

算術演算子	意味
+	加算
−	減算
*	乗算
/	除算
%	剰余

🖊 練習問題 3-1

「1〜5」までの和を求めて表示するプログラムを作ってください。

🖊 練習問題 3-2

「30」を「7」で割ったときの余りを求めて表示するプログラムを作ってください。

※練習問題の解答例はサポートページ（https://isbn2.sbcr.jp/23173/）からダウンロードできます。

^{Sample}
03　所持金とバイト代の合計を計算しよう

　プログラムでは、数値同士の計算だけではなく、「変数同士の計算」や「変数と数値の計算」もできます。次のプログラムは、現在の所持金に働いた時間ぶんのバイト代を足した金額を表示するものです。実際に入力してみましょう。

List 3-3　変数同士の計算　　　　　　　　　　　　　　　　　　　　　　　　　　🔽 list3-3.txt

```
1  // 変数の初期化
2  int money = 15000;  // 現在の所持金
3  int salary = 1000;  // 時給
4  int hour = 5;       // 働いた時間
5
6  // 現在の所持金の合計を計算して表示
7  int sum = money + salary * hour;
8  Console.WriteLine(sum);
```

▼実行結果

```
20000
```

(解説) 変数の初期化と変数同士の計算

　money変数は現在の所持金、salary変数は時給、hour変数は働いた時間を表しています。2行目でmoney変数の宣言と同時に「15000」という値を代入しています。このように、変数の宣言と代入を同時に行うことを変数の初期化と呼びます。3行目ではsalary変数を「1000」で初期化し、4行目ではhour変数を「5」で初期化しています。

書 式　変数の初期化（変数の宣言と代入を同時に行うこと）

```
型名　変数名　=　初期値；
```

　所持金の合計は「現在の所持金＋時給×働いた時間」で求められるので、money変数にsalary変数とhour変数を掛けた値を足してsum変数に代入しています（7行目）。

Fig 変数同士の計算

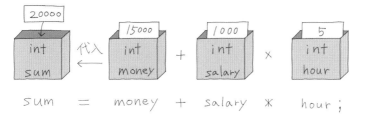

このように、int型やfloat型の変数（整数や小数を扱う変数）は数値と同じように計算することができます。計算の順序は数学と同じで、「乗算・除算」が「加算・減算」よりも先に計算されます。今回のように「money + salary * hour」という式であれば、「salary * hour」が先に計算され、その値に「money」が足されます。

また、式を「()」で括ると、() 内の計算が最優先されます。例えば時給が100円アップした場合、「sum = money + (salary + 100) * hour;」と書けば、「salary + 100」が先に計算され、その値にhourを掛け、最後にmoneyを足すという順序になります。

Fig 計算の優先順位

優先度	演算子
高	( )
↑	* / %
低	+ -

Point!

変数を使った計算
整数や小数を扱う変数は、数値と同じように演算子を使って計算することができます。

✏️ 練習問題 3-3

List 3-3のプログラムを書き換えて、時給が150円アップしたときのバイト代を所持金に足した金額を表示してください。

練習問題 3-4

現在の所持金は5000円です。時給800円で2時間働いたときのバイト代を所持金に足した金額を
求めるプログラムを作成してください。

定数

次のように変数の型の前にconstを付けて初期化すると、後から値を書き換えることができなくな
ります。このように、後から書き換えられない変数を定数（ていすう）と呼びます。

```
const int a = 3;
a = 4;   // 定数を書き換えようとするとエラーになる
```

サンプルファイル ▶ list¥chapter3¥list3-4.txt

Sample 04 テストの平均値を求めよう

次のプログラムは、数学、英語、歴史のテストの平均値を求めるものです。

List 3-4　平均値を求める　　　　　　　　　　　　　　　　　　　　　⬇ list3-4.txt

```
1 int math = 80;      // 数学の点数
2 int english = 66;   // 英語の点数
3 int history = 95;   // 歴史の点数
4
5 // 平均値を計算して表示
6 float average = (math + english + history) / 3.0f;
7 Console.WriteLine("平均は" + average + "点");
```

▼実行結果

```
平均は80.333336点
```

解説 割り算のときは型に注意する

6行目で数学、英語、歴史のテストの点数を合計し、それを科目の個数で割ることで平均値を求めています。ここで「3」ではなく「3.0f」と、小数点を含む値で割っていることに注目してください（float型に代入する値は、数値の末尾に「f」を付けます）。

int型（整数）同士の割り算の結果は必ず整数になります。つまり、「3.0f」ではなく「3」で割ると小数点以下は切り捨てとなり、計算結果の値は「80」になります。小数点以下の計算結果も必要な場合は、小数点を含む値で計算してください。

7行目で平均値を表示しています。ここでは「平均は○○点」と表示するために、文字列とaverage変数を「+」演算子で連結しています。「+」演算子は数値同士の足し算だけでなく、今回のように文字列と変数の値を連結したり、文字列同士を連結したりできます。

キャスト

次図の左側の例のように、int型の値はfloat型の変数に代入することができます。この場合は、コンパイラが自動的に変数aをint型からfloat型に変換しています。これを暗黙のキャストと呼びます。

一方、中央の例のように、float型をint型に代入することはできません。この理由は、代入後に小数点以下の情報が切り捨てられてしまうためです。代入後に情報が失われることがわかっていても代入したい場合は、プログラマが明示的に型変換を書く必要があります。これを明示的なキャストと呼び、変数の前に「(変換後の型名)」と記述します。ただし、string型からint型などキャストできない場合もあります。

Fig 型の変換を行う

```
int a = 5;          float a = 12.3f;     float a = 12.3f;
float b;            int b;               int b;
b = a;←             b = a;               b = (int)a;←
```
暗黙のキャスト　　　　　代入　　　　　　明示的なキャスト
が行われる　　　　　　できない　　　　　をして代入する

練習問題 3-5

int型の変数を2つ用意し、その割り算の結果を浮動小数点で表示してください。

サンプルファイル ▶ list¥chapter3¥list3-5a.txt～list3-5b.txt

Sample 05 ライフを一定の値だけ回復しよう

次のプログラムは、プレイヤのライフを「3」だけ回復するものです。実際に入力してみましょう。

List 3-5a　変数の値を増やす　　　　　　　　　　　　　　　　　　　　　　　⬇ list3-5a.txt

```
1 int life = 1;
2
3 // ライフを「3」だけ増やす
4 life = life + 3;
5 Console.WriteLine(life);
```

▼実行結果

```
4
```

 変数の値に一定の値を加える

このプログラムでは、1行目でlife変数を「1」で初期化しています。4行目では、lifeの値に「3」を加算した値を再度lifeに代入しています。

Fig　変数に変数自身を代入する

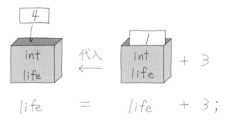

このように、変数の値を一定の数だけ増やしたい場合は、加算した後に再度自分自身の変数に代入することになります。しかし、少し回りくどい書き方になってしまうので、簡単に書く方法が用意されています。プログラムを次のように書き換えてみてください（書き換える行を網掛けで示しています）。

List 3-5b　変数の値を増やす簡単な書き方　　　　　　　　　　　　　　　　⬇ list3-5b.txt

```
1 int life = 1;
2
3 // ライフを「3」だけ増やす
4 life += 3;
5 Console.WriteLine(life);
```

実行結果は前回のプログラムと同じく、「4」になります。

 （解説）

簡単な書き方で変数の値を増やす

最初のプログラム（List 3-5a）では変数に値を足してから元の変数に代入し直しましたが、書き換えたプログラムでは「+=」演算子を使っています。+=演算子を使うと変数の値を簡単に増やすことができます。+=演算子の書き方は次の通りで、左辺に変数名、右辺に加える値を書きます。

書式　+=演算子の使い方

変数名　+=　加算する値;

List 3-5bのプログラムでは、「1」で初期化したlife変数の値に「3」を足しています。

Fig　変数の値を「+=」で増やす

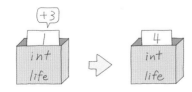

55

+=演算子の他に、「-=」「*=」「/=」「%=」演算子が用意されており、それぞれ減算、乗算、除算、剰余に対応しています。

Table 変数の値を更新する演算子

演算子	意味
+=	加算
-=	減算
*=	乗算
/=	除算
%=	剰余

サンプルファイル ▶ list¥chapter3¥list3-6.txt

Sample 06 ライフを「1」だけ回復させよう

プログラムを書いていると「ライフを1だけ回復させたい」「スコアを1点追加したい」など、変数の値を「1」だけ増やしたい場面が頻繁にあります。先に紹介した+=演算子を使って「life += 1;」と書いてもよいのですが、もっと簡単に書く方法が用意されています。次のプログラムを入力してみましょう(書き換える行を網掛けで示しています)。

List 3-6 変数の値を「1」だけ増やす　　　　　　　　　　　　　　　　　　　　　　　⬇list3-6.txt

```
1 int life = 1;
2
3 // ライフを「1」だけ増やす
4 life++;
5 Console.WriteLine(life);
```

▼実行結果

```
2
```

🐔(解説) 変数の値を「1」だけ増やす

　今回のプログラムでは、life変数の値を「1」だけ増やすために、4行目で「++」演算子（インクリメント演算子）を使っています。変数名に続けて「++」と書くことで、変数の箱の中身を「1」だけ増やします。

書 式　インクリメント演算子

変数名++

Fig　変数の値を「1」だけ増やす

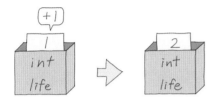

　「1」だけ増やすインクリメント演算子とは逆の、**デクリメント**演算子もあります。デクリメント演算子は、変数名に続けて「--」と書くことで変数の中身を「1」減らす演算子です。

Table　変数の値を「1」だけ増減する演算子

演算子	呼び方	意味
++	インクリメント	1だけ加算
--	デクリメント	1だけ減算

✏️ 練習問題 3-6

int型の変数aを宣言し、次の処理を追加してみましょう。

❶変数aに「10」を代入する
❷変数aを2回デクリメントして結果を表示する
❸変数aを「/=」演算子を使って「4」で割り、結果を表示する

3

3-2
▼
変数でデータを管理する

3-3

条件分岐
～場合によって処理を変える～

　これまでに出てきたプログラムは、命令を上から下へ順番に1行ずつ実行するものでした。これだけでは「プレイヤと敵の位置が同じ場合は遭遇させる」のように、条件に応じた処理を行うプログラムは作れません。3-3節では、条件に応じて処理を変化させる方法を学びましょう。

サンプルファイル ▶ list¥chapter3¥list3-7.txt

Sample 07 敵に遭遇したかを調べる

　ある条件を満たしたときだけ処理を実行したい場合は、条件分岐を使います。次のプログラムは、プレイヤと敵の位置が等しいかどうかを調べ、等しい場合は「敵と遭遇」と表示するものです。入力してみましょう。

　なお、6行目の「{」の後ろで Enter キーを押すと、自動的に字下げされた位置にカーソルが移動します。字下げ部分を自分で入力する場合は、Tab キーか半角スペースで入力してください。

List 3-7　if文の使用例　　　　　　　　　　　　　　　　　　　　　　🔲 list3-7.txt

```
1 int playerPosX = 5;   // プレイヤの位置は「X=5」
2 int enemyPosX = 10;   // 敵の位置は「X=10」
3
4 // プレイヤと敵の位置が等しい場合は敵と遭遇
5 if (playerPosX == enemyPosX)
6 {
7     Console.WriteLine("敵と遭遇");
8 }
```

　このプログラムを実行してもプレイヤと敵の位置が違うため、「敵と遭遇」とは表示されません（実行しても何も表示されません）。

解説 if文を使ってみる

1行目と2行目で、プレイヤの位置をplayerPosX、敵の位置をenemyPosXとして宣言し、それぞれの位置を「5」と「10」で初期化しています。絵にすると次のようなイメージです。

Fig　プレイヤと敵の位置

プレイヤが敵に触れた場合（playerPosXとenemyPosXの値が等しい場合）だけ「敵と遭遇」と表示するために、if文を使っています。if文の書式は次の通りです。

書式　if文の書き方

```
if （条件式）
{
    条件式を満たしたときに実行する処理；
}
```

if文は条件式の真偽によって処理の流れを変えられます。条件式が「真」の場合（成り立つ場合）には、ifに続く{}の中に書いたプログラムが実行されます。一方、「偽」の場合（成り立たない場合）には、{}の中のプログラムは実行されません。

Fig　条件式の「真」「偽」で処理を分岐する

条件式は関係演算子を使って書きます。ここでは、関係演算子の中でも左辺と右辺が等しいかどうかを調べる「==」演算子を使っています（5行目）。この演算子は左辺と右辺が等しければ「真」、等しくなければ「偽」になります。

Fig 「==」で左辺と右辺を比較する

関係演算子
A == B
AとBが等しければ真
AとBが等しくなければ偽

　関係演算子には他にも次のようなものがあります。ほとんどの演算子は数学と似た感覚で使えると思います。

Table 関係演算子

演算子	使用例	意味
==	a == b	aとbが等しければ「真」
!=	a != b	aとbが等しくなければ「真」
>	a > b	aがbより大きければ「真」
>=	a >= b	aがb以上ならば「真」
<	a < b	aがbより小さければ「真」
<=	a <= b	aがb以下ならば「真」

　5行目では、条件式を「playerPosX == enemyPosX」としてプレイヤと敵の位置が等しいかどうかを調べています。今回はplayerPosX変数とenemyPosX変数の値が等しくないので条件式は「偽」になり、プログラムを実行しても何も表示されません。

Fig 条件式が「偽」の場合の処理の流れ

```
int playerPosX = 5;
int enemyPosX = 10;
                                          ─── 条件式は「偽」になる
if (playerPosX == enemyPosX)
{
    Console.WriteLine("敵と遭遇");
}                                         ─── 処理は実行されない

※何も表示されない
```

1行目のplayerPosX変数を、次のように「10」で初期化してみましょう。

```
int playerPosX = 10;
```

このように書き換えるとplayerPosX変数とenemyPosX変数の値が等しくなるので、条件式は「真」になり、プログラムを実行するとコンソールに「敵と遭遇」と表示されます。

Fig　条件式が「真」の場合の処理の流れ

```
int playerPosX = 10;
int enemyPosX = 10;
                                        ─── 条件式は「真」になる
if (playerPosX == enemyPosX)
{
    Console.WriteLine("敵と遭遇");
                                        ─── 処理は実行される
}

※「敵と遭遇」と表示される
```

Point!

if文による条件分岐
if文の条件式が「真」の場合は {} 内の処理が実行され、「偽」の場合は実行されません。

「{}」の位置

if文などに続けて書く {} は、主に次の2通りの書き方で記述されます。どちらで書いても問題ありませんが、プロジェクト内では統一した方がよいでしょう。本書では右の書き方で統一しています。

Fig　{} の位置

```
if （条件式) {          if （条件式)
    処理                {
}                          処理
                       }
```

スコープ

　プログラム内の{}で囲まれた部分を**ブロック**と呼び、プログラムコードのまとまりを示しています。変数は、宣言したブロック内でのみ使うことができ、これを変数の**スコープ**（有効範囲）と呼びます。

　次の例を見てください。変数aはプログラムの始めから終わりまでの範囲で使えるのに対して、変数bが使えるのはifブロックの中だけです。したがって、7行目でb変数の値を使おうとするとコンパイルエラーになります。

`Fig` 変数の利用できる範囲

```
1  int a = 5;              ←  aの有効範囲
2  if (a == 5)
3  {
4      int b = 10;         ←  bの有効範囲
5  }
6  Console.Write(a);       ←  aは有効範囲内なので実行される
7  Console.Write(b);       ←  bは有効範囲外なのでエラーになる
```

　また、if文やソメッド（3-6節）などのブロック内で宣言した変数を**ローカル変数**と呼びます。ローカル変数はデフォルト値（45ページ）が適用されないので、自分で初期値を代入する必要があります。

練習問題 3-7

　任意の整数をint型のnum変数に代入しておき、num変数の値が「3」以上なら「勝ち」と表示するプログラムを作ってください。

Sample 08 協力プレイで仕掛けを解除しよう

アクションゲームで「2人で協力して仕掛けを解除する」場面を考えてみましょう。「プレイヤ1が左の石の上にいる」かつ「プレイヤ2が右の石の上にいる」ときだけ仕掛けを解除したい場合は、2つの条件を同時に満たす必要があります。

Fig　2人で協力して解除する仕掛け

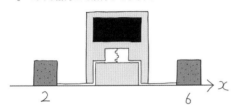

次のプログラムは、2つの条件が同時に満たされた場合だけ仕掛けを解除する処理を、if文を使って書いています。入力してみましょう。

List 3-8a　入れ子にしたif文の使用例　　　　　　　　　　　　　　　　　　　　⬇ list3-8a.txt

```
 1 int player1PosX = 2;  // プレイヤ1の位置
 2 int player2PosX = 6;  // プレイヤ2の位置
 3
 4 // プレイヤ1の位置が「2」かつプレイヤ2の位置が「6」の場合に仕掛けを解除
 5 if (player1PosX == 2)
 6 {
 7     if (player2PosX == 6)
 8     {
 9         Console.WriteLine("仕掛け解除");
10     }
11 }
```

▼ 実行結果

仕掛け解除

このプログラムではif文を入れ子（if文の中にif文を書く）にしています。入れ子にすることで、player1PosX変数が「2」のときに外側（1つ目）のif文が「真」になり、内側（2つ目）のif文がチェックされます。そして、2つ目の条件式も真（playerPosXが「6」）のときのみ「仕掛け解除」と表示されます。

Fig　if文の入れ子

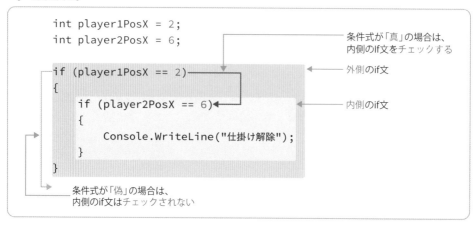

```
    int player1PosX = 2;
    int player2PosX = 6;

if (player1PosX == 2)
{
    if (player2PosX == 6)
    {
        Console.WriteLine("仕掛け解除");
    }
}
```

条件式が「真」の場合は、
内側のif文をチェックする

外側のif文

内側のif文

条件式が「偽」の場合は、
内側のif文はチェックされない

　処理自体に問題はありませんが、if文が入れ子になるとプログラムが少し複雑になりますね。も
う少しシンプルに2つの条件を同時にチェックする方法があります。次のプログラムを入力してくだ
さい。実行結果は先ほどと同じです。

List 3-8b　複数の条件式を書く例　　　　　　　　　　　　　　　　　　　　　　　⬇ list3-8b.txt

```
1 int player1PosX = 2;  // プレイヤ1の位置
2 int player2PosX = 6;  // プレイヤ2の位置
3
4 // プレイヤ1の位置が「2」かつプレイヤ2の位置が「6」の場合に仕掛けを解除
5 if (player1PosX == 2 && player2PosX == 6)
6 {
7     Console.WriteLine("仕掛け解除");
8 }
```

 解説 **複数の条件をチェックする**

　5行目では、「プレイヤ1の位置が2」かつ「プレイヤ2の位置が6」のときのみ仕掛けが解除される
ようにif文の条件を指定しています。
　複数の条件を全て満たしたときだけ処理を実行するには、条件式を「&&」演算子で繋ぎます。条件
式はいくつ繋げてもかまいません。また、複数の条件のうち1つでも満たせば処理を実行するには、
条件式を「||」演算子で繋ぎます。こちらも条件式はいくつ繋げてもかまいません。

Table 「&&」と「||」演算子

演算子	意味
&&	かつ
||	または

　今回のプログラムでは、プレイヤ1とプレイヤ2はどちらも石の上（2の位置と6の位置）にいて、両方の条件が満たされるため、「仕掛け解除」と表示されます。

Fig　2つの条件を同時に満たすと仕掛けが解除される

　プレイヤ1の位置を変えると、仕掛けが解除できなくなることも確かめておきましょう。1行目を次のように書き換えてプレイヤ1を石の上から降ろしてみます。実行すると「仕掛け解除」と表示されなくなります。

```
int player1PosX = 1;
```

Fig　プレイヤ1を移動させると仕掛けは解除されない

サンプルファイル ▶ list¥chapter3¥list3-9.txt

練習問題 3-8

List 3-8bの条件式を書き換え、プレイヤ1かプレイヤ2のどちらかが石を踏んでいれば仕掛けを解除できるプログラムを作成してください。

練習問題 3-9

List 3-8bの条件に加え、プレイヤ1とプレイヤ2が左右を入れ替わって石を踏んでも仕掛けが解除できるプログラムを作成してください。

Sample 09 地上と水中でアクションを変えよう

条件式を満たした場合に処理を実行する方法はわかりましたが、条件を満たした場合と満たさない場合で別の処理をしたいときもあります。次のプログラムは、プレイヤが地上にいれば走る動作、地上にいなければ泳ぐ動作をします。実際に入力してみましょう。

List 3-9 if ～ else文の使用例　　　　　　　　　　　　　　　　　　　　　　　⬇ list3-9.txt

```
1 int playerPosY = 3;
2
3 // プレイヤが地上(高さ0以上の位置)にいる場合は走る
4 // そうでなければ水中にいると見なして泳ぐ
5 if (playerPosY >= 0)
6 {
7     Console.WriteLine("走る!");
8 }
9 else
10 {
11     Console.WriteLine("泳ぐ!");
12 }
```

▼ 実行結果

```
走る!
```

解説 if〜else文を使ってみる

1行目で、プレイヤの立ち位置の高さをplayerPosY変数として「3」で初期化しています。また、5行目〜12行目では、playerPosY変数が「0以上であれば（地上）」プレイヤが走り、playerPosY変数が「0以上でなければ（水中）」プレイヤが泳ぐように、条件によって処理を分けています。

Fig　プレイヤの位置で処理を分ける

このように、条件を満たす場合と満たさない場合で異なる処理をするには、if〜else文を使います。if〜else文の書き方は次の通りです。

書式　if〜else文の書き方

```
if （条件式）
{
    条件を満たす場合の処理；
}
else
{
    条件を満たさない場合の処理；
}
```

if文のブロックの書き方はこれまでと同じで、後ろにelseブロックがくっつきます。if文の条件式が満たされた場合は条件式に続くブロック内の処理が実行され、満たされなかった場合にはelseに続くブロック内の処理が実行されます。

Fig 条件式の「真」「偽」で実行する処理を切り替える

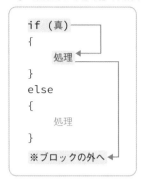

　今回のプログラムでは、if文の条件式を「playerPosY >= 0」として、プレイヤが地上にいる
か水中にいるかを調べています（比較に用いている「>=」演算子については60ページを参照してく
ださい）。playerPosYの値は「3」なので、if文の条件式が「真」になり、条件式に続くブロック内の
処理が実行されて「走る！」と表示されます。

　プレイヤが水中にいるときには泳ぐかどうかも確かめてみましょう。1行目のplayerPosY変数
を次のように初期化してください。

```
int playerPosY = -5;
```

　playerPosY変数の値を書き換えるとif文の条件式が「偽」になるので、elseに続くブロック内の
処理が実行されて「泳ぐ！」と表示されます。

Fig 変数の値で実行する処理を分岐する

```
int playerPosY = 3;

if (playerPosY >= 0)
{
    Console.WriteLine("走る！");
}
else
{
    Console.WriteLine("泳ぐ！");
}
```

条件式が「真」の場合は、
ifブロックの処理を実行する

```
int playerPosY = -5;

if (playerPosY >= 0)
{
    Console.WriteLine("走る！");
}
else
{
    Console.WriteLine("泳ぐ！");
}
```

条件式が「偽」の場合は、
elseブロックの処理を実行する

if 〜 else文による条件分岐

条件式が「真」のときはifブロックの処理が実行され、「偽」のときはelseブロックの処理が実行されます。

🖉 **練 習 問 題 3-10**

任意の値をint型のnum変数に代入しておき、num変数の値が「3以上」なら「勝ち」、「2以下」なら「負け」と表示するプログラムを作ってください。

サンプルファイル ▶ list¥chapter3¥list3-10.txt

Sample 10　マップの種類によって動作を変えよう

if 〜 else文を使って、条件を満たした場合と満たさない場合で処理を変えられるようになりました。でも、「条件1を満たしたら処理1、条件2を満たしたら処理2、条件3を・・・」といったように、処理の分岐が増えた場合に先ほどのif 〜 else文だけでプログラムするのは大変ですね。次のようにif 〜 else文を入れ子にすることで条件を増やすこともできますが、もっと簡潔に書く方法はないものでしょうか。

```
if (条件1)
{
    処理1
}
else
{
    if (条件2)
    {
        処理2
    }
    else
    {
        処理3
    }
}
```

3種類以上の場合分けをしたいときは、if 〜 else if 〜 else文を使います。次のプログラムで確認してみましょう。これは、マップの種類によってプレイヤに与えるダメージ量を変えるプログラムです。入力してみてください。

```
 1 int hp = 100;
 2 int mapType = 2;
 3
 4 // 地形の種類によってHPの値を増減する
 5 if (mapType == 1)　 // 回復地形の場合
 6 {
 7     hp += 10;
 8 }
 9 else if (mapType == 2)　 // 毒地形の場合
10 {
11     hp -= 5;
12 }
13 else if (mapType == 3)　 // 罠の場合
14 {
15     hp = 0;
16 }
17 else　 // 上記以外は全て通常の地形
18 {
19     Console.WriteLine("HPの変化なし");
20 }
21
22 Console.WriteLine("HP=" + hp);
```

▼ 実行結果

```
HP=95
```

 (解説) if 〜 else if 〜 else文を使ってみる

　このプログラムでは、マップの種類によってプレイヤに与えるダメージ量を変えています。次図のように、mapType変数が「1」の場合には回復地形によりhp（ヒットポイント）を「10」増やし、mapTypeが「2」の場合には毒地形によりhpを「5」減らします。また、mapTypeが「3」の場合は罠によりhpが「0」になります。それ以外は通常地形と見なしてhpに変化を加えません。

Fig　地形に応じてhpを変化させる

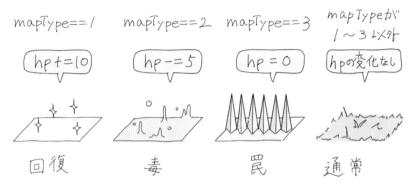

　このように、条件式が複数必要な場合にはif 〜 else if 〜 else文を使います。if 〜 else if 〜 else文の書き方は次の通りです。

書式　if 〜 else if 〜 else文の書き方

```
if （条件式）
{
    処理；
}
else if （条件式）
{
    処理；
}
…※else if文は複数書くことができます…
}
else
{
    処理；
}
```

　if 〜 else if 〜 else文は上から順番に条件式をチェックし、「真」の場合は条件式に続くブロックの処理を実行します。条件式を満たしてブロック内の処理を実行した場合、それ以降の条件はチェックしません。どの条件も満たさない場合には、最後のelseに続くブロックの処理が実行されます（最後のelse文は省略可能です）。

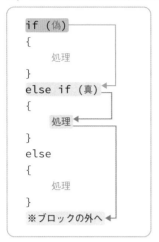

ここでは2行目でmapType変数に「2」を代入しているので、上から2つ目の条件式が満たされてhp変数が「5」減り、「HP=95」と表示されます。mapType変数に「5」を代入した場合、どの条件式も満たさないのでelseブロックの処理が実行され、「HPの変化なし」と表示されます。

Fig 条件式の判定結果で実行する処理を分岐する

```
int hp = 100;
int mapType = 2;

if (mapType == 1)
{
    hp += 10;
}
else if (mapType == 2)
{
    hp -= 5;
}
else if ( mapType == 3)
{
    hp = 0;
}
else
{
    Console.WriteLine("HPの変化なし");
}

Console.WriteLine ("HP=" + hp);
```

上から判定していき、「真」になった
条件式のブロックの処理を実行する

```
int hp = 100;
int mapType = 5;

if (mapType == 1)
{
    hp += 10;
}
else if (mapType == 2)
{
    hp -= 5;
}
else if ( mapType == 3)
{
    hp = 0;
}
else
{
    Console.WriteLine ("HPの変化なし");
}

Console.WriteLine("HP=" + hp);
```

どの条件式も「偽」の場合は、
elseのブロックの処理を実行する

> **Point！**
>
> **if 〜 else if 〜 else文による条件分岐**
>
> if 〜 else if 〜 else文は条件式を上から判定し、「真」になったブロックの処理を実行します。全部の条件式が「偽」の場合は、elseのブロックの処理を実行します。

🫙 switch文

　3種類以上の場合に分けて条件を指定するときは、if 〜 else if 〜 else文のかわりにswitch文が使われることもあります。

　List 3-10のように、条件式で変数と比較する値が「1」や「2」など具体的に決まっているときは、switch文の方がif 〜 else if 〜 else文よりもスッキリ書ける場合があります。とはいえ、if 〜 else if 〜 else文の方がよく使われますし、if文の使い方を覚えておけばプログラムは作れるので、switch文はプログラムに慣れてきた時点で改めて調べてみればよいでしょう。

✏️ 練習問題 3-11

　List 3-10で2行目のmapType変数に代入する値を書き換えると、表示されるHPの値が変わることを確認してみてください。

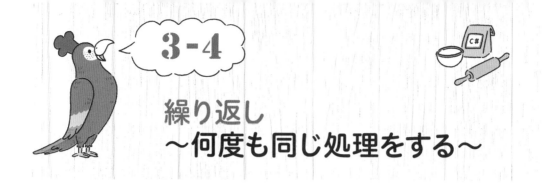

繰り返し
～何度も同じ処理をする～

3-4節では、同じ処理を何度も繰り返す方法を学びます。プログラムの流れを制御する「条件分岐（3-3節）」と「繰り返し（3-4節）」を使いこなすことができれば、プログラミングの幅がぐんと広がるのでしっかり身につけましょう。

サンプルファイル ▶ list¥chapter3¥list3-11.txt

Sample 11 連続で5回攻撃をしよう

「3マスぶんプレイヤを進めたい」場合や「5回連続で攻撃をしたい」場合など、プログラムでは同じ処理を何度も繰り返したい場合があります。

Fig 移動や攻撃を繰り返し行う

しかし処理を繰り返すために、次のように同じ処理を何度も書くと大変ですし、繰り返す回数を間違える可能性もあります。

```
Console.WriteLine("攻撃");
Console.WriteLine("攻撃");
Console.WriteLine("攻撃");
Console.WriteLine("攻撃");
Console.WriteLine("攻撃");
```

プログラムでは、指定した回数だけ同じ処理を繰り返すことができるfor文が用意されています。次の例は、5回連続で攻撃するプログラムです。実際に入力してみてください。

List 3-11　for文の基本的な使用例　　　　　　　　　　　　　　　　　　　　　　　📄 list3-11.txt

```
1  // 攻撃を5回繰り返す
2  for (int i = 0; i < 5; i++)
3  {
4      Console.WriteLine("攻撃");
5  }
```

▼実行結果

```
攻撃
攻撃
攻撃
攻撃
攻撃
```

解説 for文での繰り返し処理

　このプログラムでは2行目〜5行目で、for文を使って5回攻撃を繰り返しています。基本的なfor文の書き方は次のようになります。

書式　for文の基本的な書き方

```
for (int i = 0; i < 繰り返す回数; i++)
{
    繰り返したい処理;
}
```

　上のように書けば、繰り返す回数で指定した回数ぶんブロック内の処理を繰り返して実行します。「int i = 0;」などの細かい部分は次のサンプルで説明するので、ここでは上記の書式で「繰り返す回数」を指定すれば、指定した回数ぶんブロック内の処理を繰り返せることを覚えておきましょう。

　2行目で「繰り返す回数」を「5」と指定しているので、コンソールには「攻撃」が5回表示されます。

　次のサンプルではfor文を使った一般的な書き方を説明します。次に進む前に、まずは本を見なくても「for文の基本的な書き方」を使えるように、List 3-11を繰り返し書いて覚えておきましょう。

for文の繰り返し処理（基本的な書き方）

for文の基本的な書き方では、繰り返す回数に指定したぶんだけ処理を繰り返し実行します。

🖊 **練習問題 3-12**

for文を使って次のように表示するプログラムを作ってください。

```
逃走！
逃走！
逃走！
```

サンプルファイル ▶ list¥chapter3¥list3-12.txt

^{Sample} **12** 参加プレイヤの点呼をしよう

for文の一般的な使い方を学んでいきましょう。次のプログラムは、参加プレイヤを1番から点呼していくものです。プログラムを入力してください。

Fig　プレイヤを「1番」から点呼していく

List 3-12　**for文の使用例（カウントアップ）**　　　　　　　⬇ list3-12.txt

```
1  // 参加者を点呼する
2  for (int i = 1; i < 4; i++)
3  {
4      Console.WriteLine(i + "番！");
5  }
```

▼実行結果

```
1番！
2番！
3番！
```

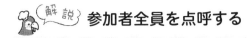 **参加者全員を点呼する**

　1つ前のサンプルではfor文の繰り返し回数を指定するだけの使い方を説明しましたが、ここからはもっと一般的な使い方を見ていきます。

　for文の一般的な書き方は次の通りです。

書式	for文の一般的な書き方

```
for （ループ変数の初期化； ループの条件式； ループ変数の更新）
{
    繰り返したい処理；
}
```

　for文の一般的な書き方を詳しく見ていきましょう。ループ変数の初期化では、何回ループしたかを覚えておくための**ループ変数**を定義します。ループ変数の初期化はfor文の最初に一度だけ実行されます。ループの条件式が「真」であればブロック内の処理を実行し、ループ変数の値を更新します。

　説明を読むだけではピンとこないと思うので、実際にどんな流れになるのか、List 3-12の2行目〜 5行目のfor文の動きを見ながら確認しましょう。for文の動きを理解するために、今回は少し丁寧に見ていきます。

❶繰り返しをカウントするループ変数「i」を「1」で初期化します。

❷ループの条件式をチェックします。「i」の値は「1」です。「4」未満なので条件を満たしてブロック内の処理に進みます。

❸ブロック内の処理を実行し、コンソールに「1番！」と表示します。

❹変数「i」の値を更新します。i++を実行するので、「i」の値は「2」になります。

❺再び条件式をチェックします。「i」の値は「2」で、「4」未満なのでブロック内に進みます。

❻ブロック内の処理を実行し、コンソールに「2番！」と表示します。

❼変数「i」の値を更新します。i++を実行し、「i」の値は「3」になります。

❽さらに条件式をチェックします。「i」の値は「3」で、「4」未満なのでブロック内に進みます。

❾ブロック内の処理を実行し、コンソールに「3番！」と表示します。

❿変数「i」の値を更新します。i++を実行し、「i」の値は「4」になります。

⓫さらに条件式をチェックします。「i」の値は「4」で、「4」未満ではないのでループを抜けます。

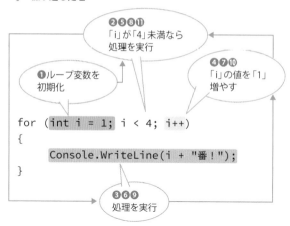

List 3-12ではループ変数を使って「○○番！」と表示しています。このように、ループ変数はブロック内の処理に利用することもできます。ただし、ループ変数「i」のスコープはfor文の {} の中だけです。次のようにfor文の外で「i」を使おうとするとコンパイルエラーになるので注意してください。

```
for (int i = 1; i < 4; i++)
{
    Console.WriteLine(i + "番！");
}
Console.WriteLine(i);   // コンパイルエラー
```

Point!

for文による繰り返し（一般的な書き方）
for文はループ変数の初期化、ループの条件式、ループ変数の更新を指定して、ブロック内の処理を実行します。

✏ 練習問題 3-13

for文を使って次のように表示するプログラムを作ってください。

```
2
3
4
5
```

✏️ **練習問題 3-14**

for文を使って次のように偶数だけを表示するプログラムを作ってください。

```
0
2
4
```

サンプルファイル ▶ list¥chapter3¥list3-13.txt

^{Sample} **13** 3カウントダウンしてゲームを開始しよう

レースゲームや格闘ゲームでは、よく開始前に「3・2・1」とカウントダウンしてからゲームがスタートします。次のプログラムは、3から1までのカウントダウンと「スタート」の文字を表示します。実際にプログラムを入力してみてください。

Fig カウントダウンしてゲームを開始する

List 3-13 for文の使用例（カウントダウン） ⬇️ list3-13.txt

```
1 // 「3」から「1」までカウントダウンする
2 for (int i = 3; i > 0; i--)
3 {
4     Console.WriteLine(i);
5 }
6 Console.WriteLine("スタート");
```

▼実行結果

```
3
2
1
スタート
```

解説 for文を使ったカウントダウン

　ここでも順を追ってfor文の動きを見ていきましょう。今回はfor文の「ループ変数の更新」の部分でインクリメント (i++) ではなくデクリメント (i--) しています。for文の流れは次のようになります。

❶**繰り返しのカウントをするループ変数「i」を「3」で初期化します。**

❷**条件式 (iが0より大きいか) をチェックします。**

❸**条件を満たした場合はブロック内の処理を実行して「i」を表示します。**

❹**ループ変数「i」の値をデクリメントします。**

❺**❷に戻って条件式をチェックします。**

　ステップ❷〜❺が3回繰り返されて変数「i」の値が「0」になると、4回目のステップ❷で条件式を満たさなくなるのでループを抜けます。

Fig　繰り返し処理

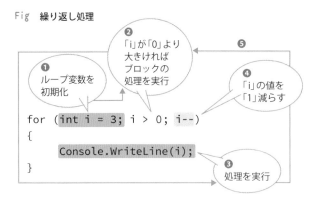

練習問題 3-15

for文を使って「10」から「0」までカウントダウンしてください。

Sample 14 ミサイルをプレイヤに向けて移動しよう

繰り返し処理には、for文の他にもwhile文があります。for文は繰り返す回数が決まっている場合に使うことが多く、while文は繰り返す回数が決まっていない場合に使います。List 3-14aは、プレイヤに衝突するまでミサイルを移動させるプログラムです。実際にプログラムを入力してみましょう。

List 3-14a while文の使用例 　　　　　　　　　　　　　　　　　　　　　⬇ list3-14a.txt

```
 1 int playerPosX = 5;
 2 int missilePosX = 15;
 3
 4 // プレイヤの位置とミサイルの位置が等しくなければ
 5 // ミサイルの移動を繰り返す
 6 while (playerPosX != missilePosX)
 7 {
 8     Console.WriteLine("missile at " + missilePosX);
 9     missilePosX--;   // ミサイルを左に動かす
10 }
11 Console.WriteLine("HIT");
```

▼実行結果

```
missile at 15
missile at 14
missile at 13
missile at 12
missile at 11
missile at 10
missile at 9
missile at 8
missile at 7
missile at 6
HIT
```

while文を使ったループ

このプログラムは、ミサイルを画面右端から発射し、プレイヤに当たるまで左方向に1ずつ動か
しています。

Fig　プレイヤに当たるまでミサイルを動かす

ミサイルを何回左方向に移動すればプレイヤに当たるかわからないので（今回の例だとすぐにわ
かりますが、ゲームによってはプレイヤも移動するためゲームを実行するまでわかりません）、
while文を使っています。

while文の書き方は次の通りで、条件式を満たす限り処理を繰り返します。

> **書　式**　while文の書き方

```
while （条件式）
{
    繰り返したい処理;
}
```

Fig　条件式が「真」の間は処理を実行する

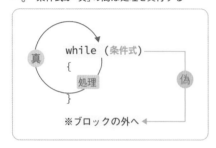

今回のサンプルでは、プレイヤとミサイルが衝突するまでミサイルを左方向に移動したいので、while文の条件式に「playerPosX != missilePosX」を指定しています（6行目）。「!=」演算子は、右辺と左辺の値が等しくない場合に「真」になります。両者が衝突すると（同じ値になると）条件式を満たさなくなるので、while文を抜けて「HIT」と表示します。

> **Point!**
>
> **while文による繰り返し**
> while文は条件式が「真」の間は処理を繰り返します。

✒ **練習問題 3-16**

while文を使い、「10000」を「2」で何回割ると「100以下」になるかを調べるプログラムを作ってください。

♦ **break文**

List 3-14aでは、playerPosX変数とmissilePosX変数の値が等しくなったときに繰り返し処理をやめたいのですが、while文の条件式には「playerPosX != missilePosX」と書く必要があります。これだと直感的に条件を指定できず、慣れるまでは多少混乱するかもしれません。

この場合、break文を使うことで繰り返しの終了条件を直感的に書くことができます。次の例は、先ほどのプログラムと同じ処理内容ですが、break文を使って繰り返しを抜けています。

以下のプログラムを入力してみましょう。実行結果は、List 3-14aと同じです。

List 3-14b　break文の使用例　　　　　　　　　　　　　　　　⬇ list3-14b.txt

```
1  int playerPosX = 5;
2  int missilePosX = 15;
3
4  // 常にループする
5  while (true)
6  {
7      // プレイヤとミサイルが衝突したらwhile文を抜ける
8      if (playerPosX == missilePosX)
9      {
10         break;
11     }
12
13     Console.WriteLine("missile at " + missilePosX);
```

```
14      missilePosX--;
15  }
16  Console.WriteLine("HIT");
```

 ## 解説 break文を使ってループから抜ける

　5行目のwhile文の条件式には**true**（これはbool型の値で「真」を意味します）を指定しているので、常に条件式を満たすことになり、while文が無限に実行されます。これを無限ループと呼び、このままではプログラムが永遠に終了しません。無限ループを抜けるためには、ループしているブロックの中でbreak文を使います。

　break文は繰り返し処理のブロックから抜けるための構文です。8行目でif文を使ってミサイルとプレイヤの位置が等しいかを調べて、等しい場合は、break文を実行してwhileのブロックを抜けます。

Fig　break文でブロックを抜ける

```
while (true)
{
    // プレイヤとミサイルが衝突したらwhile文を抜ける
    if (playerPosX == missilePosX)  ←      ifの条件式が満たされると
    {                                        break文が実行される
        break;  ←
    }

    Console.WriteLine("missile at " + missilePosX);
    missilePosX--;
}                                        whileのブロックを抜けて
Console.WriteLine("HIT");  ←              処理が実行される
```

2重以上のループは抜けられない

breakは最も内側のループを抜けるための構文です。ループが2重になっている場合は、内側のループは抜けますが、外側のループまでは抜けられません。

Fig　内側のループだけから抜け出す

```
while (true)
{
    while (true)
    {
        break;
    }
    ※ここまで抜ける
}
※ここにはたどり着かない
```

○

×

練習問題 3-17

while文を使って「1 ＋ 2 ＋ 3 ＋ ・・・」と足していき、合計値が「500」を超えたらbreak文でループを抜けるプログラムを作ってください。

3-5

配列でデータをまとめて扱う

　扱う変数の個数が増えてくると宣言するだけでも一苦労です。そこで、複数の変数をまとめて扱える配列（はいれつ）という仕組みを使います。配列を使えば、たくさんの変数を楽に管理できるようになります。

サンプルファイル ▶ list¥chapter3¥list3-15.txt

Sample 15 体重を管理するプログラムを作ろう

　1週間ぶん（7日ぶん）の体重を管理する、体重管理アプリの作り方を考えてみましょう。1週間の体重を管理するために、7個の変数を用意します。体重は小数点以下まで入力したいので、float型の変数にしましょう。これまでの知識を使ってプログラムを書くと次のようになります。

```
float day1;
float day2;
float day3;
...
```

　1週間ぶんの7個の変数は作れそうです。でも、1週間を1年間に増やすことになると、変数の宣言が30個を超えたあたりで嫌になりそうです。

Fig　たくさんの変数を作るのは大変・・・

大量の変数を扱いたいときは、配列を使うと便利です。次のプログラムは、1週間ぶんの体重を
配列に入れて表示するものです。実際に入力してみましょう。

List 3-15 　配列の使用例　　　　　　　　　　　　　　　　　　　　　　　　　⬇ list3-15.txt

```
 1 float[] weights;        // 配列用の変数を宣言する
 2 weights = new float[7];  // 配列の要素数を決める
 3
 4 // 配列の要素に値を代入する
 5 weights[0] = 41.2f;
 6 weights[1] = 42.5f;
 7 weights[2] = 44.9f;
 8 weights[3] = 43.2f;
 9 weights[4] = 45.1f;
10 weights[5] = 43.2f;
11 weights[6] = 42.7f;
12
13 // 配列の値を全て表示する
14 for (int i = 0; i < 7; i++)
15 {
16     Console.WriteLine(weights[i]);
17 }
```

▼ 実行結果

```
41.2
42.5
44.9
43.2
45.1
43.2
42.7
```

解説 配列の使い方

このプログラムでは変数を7個宣言するのではなく、配列の変数を1つ宣言して7日ぶんの体重を管
理しています。配列は変数の箱を横一列に繋げた、1つの細長い箱のイメージです。この箱の1つひ
とつに値を入れることができます。

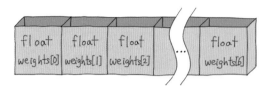

　1行目で配列のweights変数を宣言しています。int型やfloat型の変数を宣言するときには、型名と変数名を指定しました。配列を宣言するときも、配列の型名と変数名を指定することで、配列用の変数が作成できます。

Fig　型名と変数名を指定する

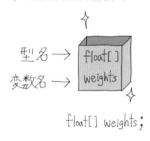

float[] weights;

　配列を宣言するときは、float[]のように型名の後ろに[]を付けます。もちろん、int[]型やstring[]型など、様々な型で配列を作ることができます。

> **書式**　配列の宣言
>
> 型名 [] 　変数名 ;

◆ 配列の要素数を指定する

　int型などの変数は、宣言すれば値を代入できましたが、配列は宣言しただけでは使うことができません。配列は変数の箱（要素）を繋げたものなので、何個の箱を繋げた配列にするかを指定する必要があります。配列を構成する箱の個数（要素数）を決める書式は次のようになります。

> **書式**　配列の要素数を指定する
>
> 変数名 ＝ new 型名 [要素数] ;

配列の要素数を決めるには、new演算子に続けて型名と要素数を指定します。2行目では、1週間ぶんの値が格納できるように、7個の要素を繋げて配列を作っています。

Fig　要素数「7」の配列を作成する

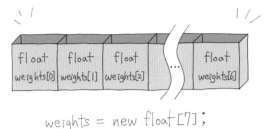

配列の宣言と要素数の指定

配列の宣言と要素数の指定は、次のように1行で書くこともできます。

```
float[] weights = new float[7];
```

Point!

配列の宣言と要素数の指定
配列は型名に [] を付けて宣言し、new演算子を使って要素数を指定します。

◆ 配列に値を入れる

ここまでで、7つの変数の箱を繋げた配列ができました。次はそれぞれの箱（要素）の中に値を入れます。配列の要素にアクセスして値を出し入れするときは、次のように書きます。

書式　配列の要素へアクセスして値を出し入れする

変数名 [インデックス]

インデックスは、アクセスしたい要素が配列の先頭要素から何番目にあるのかを表す数字です。「変数名 [インデックス]」と書くことで、値を代入したり取得したりできます。

インデックスは、次の図のように「0」から順に増えていきます。よって、先頭の要素に代入したい場合はインデックスに「0」を指定して次のように書きます。

```
weights[0] = 41.2f;
```

Fig　インデックスは「0」から始まる

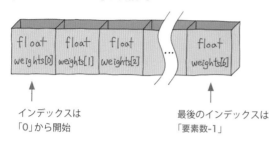

インデックスは
「0」から開始

最後のインデックスは
「要素数-1」

5行目～11行目では、weights[0]からweights[6]にそれぞれfloat型の値を代入しています。float型の値には数値の最後に「f」を付けるのでした。

14行目～17行目では、**配列の各要素の値**を表示しています。次のように、1つずつ全ての要素を直打ちしてもよいのですが、この方法では配列の要素数が多い場合は大変そうですね。

```
Console.WriteLine(weights[0]);
Console.WriteLine(weights[1]);
...
```

ここでは、配列中の値を全て表示するためにfor文を使っています。「weights[i]」と書いて、for文のループ変数を配列のインデックスに利用することで、1周目のループでi＝0番目の要素、2周目はi＝1番目の要素と、全ての要素に順番にアクセスできます。

Point!

配列の全ての要素にアクセスする
配列のインデックスにループ変数を利用することで、配列の全ての要素に順番にアクセスすることができます。

 配列の初期化

配列の各要素に一度に値を代入したいとき、5行目〜11行目のように書くのではなく、次のようにまとめて初期化する方法も用意されています。

```
float[] weights = { 41.2f, 42.5f, 44.9f, 43.2f, 45.1f, 43.2f, 42.7f };
```

「=」に続けて、{}の中に初期化する値を「,」で区切って書きます。このように初期化した場合、配列の要素数（箱の数）は初期化した値の個数になります。

サンプルファイル ▶ list¥chapter3¥list3-16.txt

Sample 16 配列の全要素を調べる

List 3-15のプログラムでは7日間の体重データを管理していました。これを10日に増やすことになったとしましょう。配列の要素が10個必要になりますね。この場合、配列の要素数を指定する部分（2行目）を「new float[7]」から「new float[10]」に書き換えて、データも10日ぶん代入すれば修正おしまい！　…ではありません。忘れずに14行目のfor文のループ回数も「10」に書き換えないと、10日ぶんの体重データのうち7日ぶんのデータしか出力されません。

Fig　for文も忘れずに書き換える

配列の要素数が変わっても、ループのプログラムは変更せずにすむ書き方を紹介します。次のプログラムを入力してください。

3

3-5
▼
配列でデータをまとめて扱う

91

```
1  // 配列を初期化する
2  float[] weights = { 41.2f, 42.5f, 44.9f, 43.2f, 45.1f,
3                      43.2f, 42.7f, 41.5f, 41.4f, 41.9f };
4
5  // 「変数名.Length」を使って全要素にアクセスする
6  for (int i = 0; i < weights.Length; i++)
7  {
8      Console.WriteLine(weights[i]);
9  }
```

▼実行結果

```
41.2
42.5
44.9
43.2
45.1
43.2
42.7
41.5
41.4
41.9
```

🫙 プログラム中の改行

　List 3-16の2行目〜3行目の配列の初期化では、途中で改行を入れて行をまたいでいます。プログラム中の改行はコメントと同様にコンパイル時に無視されます（予約語や変数名や文字列などの途中では改行できません）。1行のプログラムが長くなってしまったときなどは、読みやすくなるように改行を入れましょう。

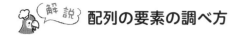 配列の要素の調べ方

List 3-15のプログラムで配列の長さを変更したときにfor文の修正が必要な理由は、for文の繰り返し条件に配列の要素数「7」を直接書いていたからです。ここでは、要素数を直接書かずに全要素をチェックする方法を紹介します。

◆ Lengthを使う

配列の要素数は、次のように書くことで取得できます。

書式	配列の要素数を取得する

```
配列の変数名.Length
```

6行目でfor文の条件を「for (int i = 0; i < weights.Length; i++)」と書いています。これにより、配列の要素数が7個のときは「for (int i = 0; i < 7; i++)」となり、配列の個数が10個のときは「for (int i = 0; i < 10; i++)」となります。

Lengthを使えば、配列の要素数が変わってもプログラムを修正する必要がなくなるので、配列の要素数が必要な処理では「Length」を使うようにしましょう。

📟 foreach文

配列の全要素に順番にアクセスするもう1つの方法にforeach文があります。foreach文の書式は次の通りです。

書式	foreach文の書き方

```
foreach （型名 変数名 in 配列変数名)
{
}
```

次のように書くことで、List 3-16のプログラムと同様に、配列中の全要素を表示できます。

```
float[] weights = { 41.2f, 42.5f, 44.9f, 43.2f, 45.1f,
                    43.2f, 42.7f, 41.5f, 41.4f, 41.9f };

foreach (float w in weights)
{
    Console.WriteLine(w);
}
```

foreach文では「配列から要素を1つ取り出して変数に代入」→「ブロック内の処理を実行」という処理を、配列の先頭から要素数ぶん繰り返します。上記のプログラムでは、weights配列から値を取り出して変数「w」に代入し、ブロック内で「w」の値を表示しています。

サンプルファイル ▶ list¥chapter3¥list3-17.txt

Sample 17 1週間の平均体重を計算しよう

配列の基本がわかったところで、次は配列の使用例を見ていきましょう。1週間ぶんの体重データから平均値を求めるプログラムを作ります。次のプログラムを入力してください。

List 3-17　配列の平均値を求める　　　　　　　　　　　　　　　　　　　　　⬇ list3-17.txt

```
 1 float[] weights = { 41.2f, 42.5f, 44.9f, 43.2f,
 2                     45.1f, 43.2f, 42.7f };
 3
 4 float sum = 0.0f; // 1週間の体重の合計を入れる変数
 5
 6 // 1週間の体重の合計値を求める
 7 for (int i = 0; i < weights.Length; i++)
 8 {
 9     sum += weights[i];
10 }
11
12 // 1週間の体重の平均値を求める
13 float average = sum / weights.Length;
14 Console.WriteLine("平均値は" + average + "です");
```

▼ 実行結果

平均値は43.257145です

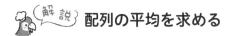

解説 配列の平均を求める

今回のプログラムは、1週間ぶんの体重データから平均値を計算しています。平均値の出し方は次の2ステップになります。

❶データの合計値を求める
❷合計値をデータの個数で割る

♦ データの値を全て合計する

　1行目〜2行目で、weights配列を7日ぶんの体重データで初期化しています。4行目では体重の合計値を入れるためのsum変数を「0.0f」で初期化しています。7行目〜10行目では、for文を使ってsum変数にweights配列中の全てのデータを足していきます。

Fig　データの値を合計する

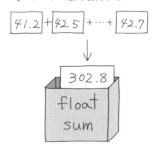

♦ 合計値をデータの個数で割る

　13行目では、データの合計値「sum」をデータの要素数「weights.Length」で割り（配列の要素数は「変数名.Length」で取得できるのでした）、average変数に代入しています。

Fig　体重の合計値をデータの個数で割る

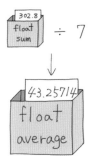

　最後に、求めた平均値をConsole.WriteLineメソッドでコンソールに表示しています。

多次元配列

3-5節では変数の箱を横に並べた1次元の配列を紹介しました。C#には横方向だけではなく縦方向にも変数を並べた2次元配列や、奥行方向にも変数を並べたイメージの3次元配列など、多次元配列を作ることもできます。

例えば次のように初期化すると、2×3サイズの2次元配列を作れます。

```
int[,] a = {{1,2,3},{4,5,6}};
```

Fig　2次元配列のイメージ

int[,] a =

1 a[0,0]	2 a[0,1]	3 a[0,2]
4 a[1,0]	5 a[1,1]	6 a[1,2]

配列の要素にアクセスするには、配列変数名[行のインデックス,列のインデックス]と書きます。

```
a[1, 2] = 9;   // a[1,2]に代入する
```

練習問題 3-18

List 3-17の体重データの中から43kg以下の体重だけを表示するプログラムを作ってください。

3-6 メソッドで処理を部品化して必要なときに使う

　プログラムが長くなると、どこに何を書いてあるのか見にくくなるため全体の流れがつかみづらくなってしまいます。そのような問題を解消するため、**処理のまとまりごとに名前を付けて分割できるメソッド**という仕組みがあります。ここでは、メソッドがどういうものなのか、メソッドの作り方、使い方を紹介します。

 ## メソッドのイメージ

　例えば、料理本でカルボナーラの作り方を調べたとき、下図（左）のように全ての手順が箇条書きで書いてあると読みにくく、全体的な流れもわかりにくいですね。しかし下図（右）のように、「パスタを茹でる工程」や「ソースを作る工程」など、調理手順を工程ごとに区切って見出しが付いていると全体の流れをつかみやすくなります。

Fig　カルボナーラの作り方

カルボナーラの作り方	カルボナーラの作り方
1. 鍋にたっぷりの湯を沸かして塩を入れる 2. パスタを入れ好みの硬さより少し固めに茹でる 3. ベーコンを1cm幅に切る 4. にんにくをみじん切りにする 5. フライパンを火にかけにんにくを炒める 6. ベーコンをカリカリになるまで炒める	■手順 1. パスタを茹でる 2. ソースを作る 3. パスタとソースを合わせる ① パスタをゆでる 1. 鍋にたっぷりの湯を沸かす 2. 塩を入れる 3. パスタを固めに茹でる ② ソースを作る 1. ベーコンを1cm幅に切る

　プログラムでも同じことが言えます。プログラムが長くなると、どこに何を書いてあるのか見にくくなり、**全体の流れがつかみづらくなってしまいます**。それを防ぐため、処理のまとまりごとに名前を付けて分割する「メソッド」という仕組みがあります。

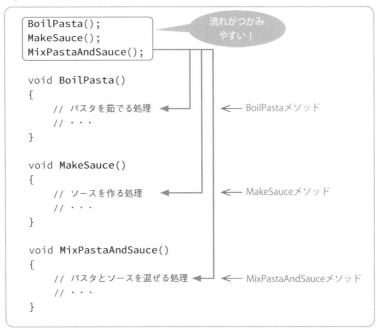

流れがつかみやすい他に、もう1つよいことがあります。例えば、カルボナーラでもナポリタンでもペペロンチーノでも「パスタを茹でる」工程は共通しているので、全てのレシピで「パスタを茹でる」方法の詳細を書くのは冗長です。「パスタを茹でる」詳細な手順は別に作っておいて、必要なときに「○○を参照してください」という書き方をすることで無駄を省いて短くまとめることができます。

Fig 「パスタを茹でる」項目を別に作って参照する

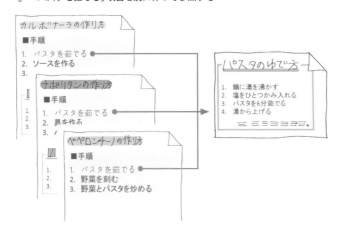

プログラムでも、よく出てくる処理はメソッドにまとめておき、まとめた処理を必要に応じて何度でも呼び出す(参照する)ことができます。まとめると、メソッドには大きく2つの役割があります。

▶ **処理を分割してそれぞれメソッドにまとめることで、プログラムを読みやすくする**

▶ **何度も出てくる処理をメソッドにすることで、プログラムを短くする**

次はメソッドの構成について詳しく見ていきましょう。メソッドは、処理を分割して名前を付けたものです。したがって、メソッドは分割した処理を書く**メソッド本体**と作ったメソッドを呼び出す部分の2つで構成されます。

Fig　作ったメソッドは呼び出して使用する

```
                                    Hogeメソッド本体
    void Hoge()
    {
        // Hogeの処理
        // ・・・
        Console.WriteLine("hoge")
    }

    Hoge();
                                    Hogeメソッド呼び出し
```

メソッドを呼び出すとき、メソッドに値を渡すことができます。この値のことを引数(ひきすう)と呼び、メソッド本体の処理に使うことができます。また、メソッドの処理結果を呼び出し元に渡すこともでき、この値のことを戻り値(もどりち)と呼びます。よく使うメソッドの書き方は、引数と戻り値の組み合わせによって大きく3つのパターンに分けられます(引数なし・戻り値ありのパターンもありますが、使用頻度が低いので省略します)。これから1パターンずつ詳しく説明していくので、メソッドのプログラムを実際に入力しながら理解していきましょう。

Fig　メソッドのパターン

メソッド本体	メソッド本体	メソッド本体
メソッド呼び出し	メソッド呼び出し　引数	引数　戻り値　メソッド呼び出し
引数なし・戻り値なし	引数あり・戻り値なし	引数あり・戻り値あり

Sample 18 入店時に挨拶してくれるショップを作ろう

まずは一番シンプルな「引数なし・戻り値なし」のパターンから作ってみましょう。次のプログラムは、ショップに入ると店員が挨拶をしてくれるメソッドです。プログラムを入力してください。

List 3-18 文字列を表示するメソッド　　　　　　　　　　　　　　　　　　⬇ list3-18.txt

```
1  // 「いらっしゃいませ！」と表示するメソッドを定義
2  void Shop()
3  {
4      Console.WriteLine("いらっしゃいませ！");
5  }
6
7  // Shopメソッドを呼び出す
8  Shop();
```

▼ 実行結果

```
いらっしゃいませ！
```

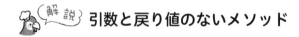

(解説) 引数と戻り値のないメソッド

今回のプログラムではShopという名前のメソッドを作り、その中で「いらっしゃいませ！」と表示する処理を書いています。

Fig 「いらっしゃいませ！」と挨拶するメソッドを作る

2行目〜 5行目のShop()に続くブロックがメソッド本体、8行目のShop()がメソッド呼び出しになります。メソッド本体を書く位置は、メソッドを呼び出す行の上側でも下側でも問題ありません。

Fig Shopメソッドの本体と呼び出し

```
                                          メソッド本体
     void Shop()
     {
         Console.WriteLine("いらっしゃいませ！");
     }

     Shop();
                                      メソッド呼び出し
```

♦ メソッド本体の書き方

引き数も戻り値もないメソッドの書き方は次の通りです。voidに続けてメソッド名を定義し、ブロック内にはメソッドで実行する処理を書きます。

書式 引き数なし・戻り値なしのメソッドの書き方

```
void メソッド名()
{
    メソッドの処理;
}
```

List 3-18のプログラムと合わせて確認していきましょう。Shopメソッドを「メソッド本体の書き方」の書式に当てはめると、次のようになります。

Fig 引数なし・戻り値なしのShopメソッド

```
     void Shop()
       ↑    ↑   ↑
   戻り値なし メソッド名 引数なし
```

先頭のvoidは戻り値なしという意味です。voidに続くメソッド名には、そのメソッドの役割がわかるような名前を付けましょう（C#では基本的に、メソッド名の先頭は大文字です）。ここでは、メソッドに「Shop」という名前を付けています。

引数がある場合はメソッド名の後ろの ( ) 内に引数を書きますが、今回は引数はないので何も書いていません。引数や戻り値を使うパターンは次以降のサンプルで見ていきます。

◆ 引数なしのメソッドの呼び出し方

メソッドの中に書いたプログラムを実行するためには、メソッドを呼び出さなければいけません。メソッドを呼び出すには、次のようにメソッド名に続けて ( ) を書きます。

書式	引数なしのメソッドの呼び出し方

```
メソッド名( )
```

List 3-18では、8行目でShopメソッドを呼び出しています。今回作ったShopメソッドの呼び出しを書式に当てはめると次のようになります。

Fig　引数なしのShopメソッドの呼び出し

今回はメソッドの中で「いらっしゃいませ！」と表示するだけのプログラムでした。メソッドにするには単純すぎるプログラムでしたが、今は簡単なものをメソッドにできるように練習し、だんだんと複雑なメソッドも作れるようにしていきましょう。

✎ 練習問題 3-19

「ありがとうございました！」と返事をするThankyouメソッドを作り、呼び出してみてください。

^{Sample} 19 商品の値段を教えてくれるショップを作ろう

続いて「引数あり・戻り値なし」パターンのメソッドを見てみましょう。引数があるとどう便利に
なるのかを、Shopメソッドを拡張しながら見ていきましょう。

Shopメソッドの引数に商品名を渡すと、その商品の金額をコンソールに表示するように拡張しま
す。次のプログラムを入力してみましょう。

List 3-19 アイテムに応じた値段を表示するメソッド   ⬇ list3-19.txt

```
1  // 引数に商品名を受け取り、
2  // 商品名に応じた値段を表示するメソッド
3  void Shop(string itemName)
4  {
5      Console.WriteLine("いらっしゃいませ!");
6
7      if (itemName == "薬草")
8      {
9          Console.WriteLine(itemName + "は100円です");
10     }
11     else if (itemName == "棍棒")
12     {
13         Console.WriteLine(itemName + "は1500円です");
14     }
15     else
16     {
17         Console.WriteLine("売り切れです");
18     }
19 }
20
21 // 「薬草」を引数に渡してShopメソッドを呼び出す
22 Shop("薬草");
```

▼ 実行結果

```
いらっしゃいませ!
薬草は100円です
```

解説 引数があるメソッド

　List 3-19は引数があるメソッドのサンプルです。引数は、メソッドを実行するときに呼び出し元からメソッド本体に渡す値のことです。今回作ったShopメソッドは、引数に商品名（string型）を渡して呼び出しています。

Fig　商品名を渡すと値段を答えてくれる

　3行目〜19行目がShopメソッドの本体、22行目の「Shop(˝薬草˝);」がメソッド呼び出しになります。それぞれの書き方について確認していきましょう。

Fig　Shopメソッドの本体と呼び出し

　メソッド本体から見ていきましょう。メソッドに引数がある場合の書き方は次のようになります。

書式　引数あり・戻り値なしのメソッドの書き方

```
void　メソッド名(型名　変数名，型名　変数名…)
{
    メソッドの処理；
}
```

引数は変数の宣言と同様、型名と変数名を指定します。引数を複数個受け取る場合は、引数を「,」で区切ります。

　今回はアイテム名を引数に取りたいので、引数の型名をstring、引数に使う変数名をitemNameとしています。ここで宣言したitemName変数を使える範囲はShopメソッドのブロックの中だけなので、メソッド外で使うことはできません。

Fig　引数あり・戻り値なしのShopメソッド

void Shop (string itemName)

メソッド名　　引数の型　　引数の変数名

　Shopメソッドの中では、引数のitemName変数の値によって条件分岐しています。itemNameが「薬草」のときは「薬草は100円です」と表示し、itemNameが「棍棒」のときは「棍棒は1500円です」と表示し、それ以外の場合は「売り切れです」と表示します。

Fig　引数の値によって処理を分岐する

　次に、引数のあるメソッドを呼び出す方法を見てみましょう。引数ありのメソッドを呼び出すには、次のようにメソッド名に続けて引数を書きます。引数の個数や型、値を渡す順番はメソッドの本体で指定したものと一致している必要があります。

書式　引数ありのメソッド呼び出し方

メソッド名 (引数,　引数 ・・・)

22行目ではShopメソッドを呼び出しています。メソッドを呼び出すとき、引数に「薬草」という値を渡しています。

Fig　引数に値を渡して呼び出す

Shop ("薬草")

メソッド名　　　　引数

引数を渡して呼び出すと、メソッド側では、引数に指定した「薬草」という文字列がShopメソッドのitemName変数に代入されます。したがって、メソッド内では「itemName == "薬草"」の条件が満たされ、薬草の値段が表示されます。

🖋 練習問題 3-20

引数にint型の数値を受け取り、その値が偶数なら「偶数です」、奇数なら「奇数です」と表示するShowEvenOrOddメソッドを作ってください。

サンプルファイル ▶ list¥chapter3¥list3-20.txt

Sample 20　ショップで商品を買おう

最後に「引数あり・戻り値あり」パターンのメソッドを見てみましょう。今回は、引数に商品名を渡したら、その商品の金額を戻り値として呼び出し元に返すメソッドを作ります。次のプログラムを入力してみましょう。

List 3-20　アイテムの値段を渡すメソッド　　　📄 list3-20.txt

```
1  // 商品名を引数に取り、
2  // 対応する商品の値段を返すメソッド
3  int Shop(string itemName)
4  {
5      Console.WriteLine("いらっしゃいませ！");
6      int price = 0;
7
```

```
 8      if (itemName == "薬草")
 9      {
10          Console.WriteLine(itemName + "は100円です");
11          price = 100;
12      }
13      else if (itemName == "棍棒")
14      {
15          Console.WriteLine(itemName + "は1500円です");
16          price = 1500;
17      }
18      else
19      {
20          Console.WriteLine("売り切れです");
21          price = 0;
22      }
23
24      // 引数に対応する商品の値段を返す
25      return price;
26  }
27
28  int money = 2500;
29  Console.WriteLine("所持金は" + money + "円です");
30  int price = Shop("薬草");
31  money -= price;
32  Console.WriteLine("所持金は" + money + "円です");
```

▼ 実行結果

```
所持金は2500円です
いらっしゃいませ！
薬草は100円です
所持金は2400円です
```

メソッドの処理が終わって呼び出し元に戻るときに値を1つだけ渡すことができ、この値を戻り値と呼びます。3行目〜26行目のShopメソッドは、引数にstring型で商品名を渡すと、その商品の値段をint型で返してくれます。

Fig Shopメソッドの本体と呼び出し

```
        メソッド本体
        int Shop(string itemName)
        {
            int price = 0;
            // ・・・

            return price;
        }
        int price = Shop("薬草");
                                    メソッド呼び出し
```

価格

薬草

引数あり・戻り値ありメソッドの書式は次の通りです。

書式 引数あり・戻り値ありメソッドの書き方

```
戻り値の型 メソッド名 (型名 変数名, 型名 変数名 ・・・)
{
    メソッドの処理;
}
```

これまでの2つのサンプルでは「戻り値の型」の部分がvoid（戻り値がない）になっていましたが、戻り値がある場合は、ここに戻り値の型名を記述します。Shopメソッドの定義部分をメソッドの書式に当てはめると、次のようになります。

Fig 引き数あり・戻り値ありのShopメソッド

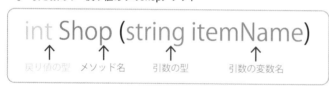

今回のShopメソッドは戻り値にint型の値段を返すので、戻り値の型にはintと書きます。その他の部分はこれまでと同様です。Shopメソッドの8行目〜22行目では、引数で受け取った商品名に対応する値段をprice変数に代入しています（該当する商品がない場合には「0」を代入します）。

25行目ではreturn文を使ってprice変数の値を呼び出し側へ渡しています。return文の書式は次のように、returnに続けて呼び出し元に渡す値（戻り値）を書きます。戻り値は、メソッドの定義で書いた戻り値の型と一致している必要があります。

書式　return文の書き方

```
return 戻り値;
```

return文でメソッドの呼び出し元へ処理が戻ったとき、呼び出し元に値が返ってきます。「変数名 = メソッド名(引数);」と書くことで、メソッドの戻り値を左辺の変数に代入できます。List 3-20では30行目でShopメソッドの戻り値をprice変数に代入しています。

Fig　戻り値を呼び出し側の変数に代入する

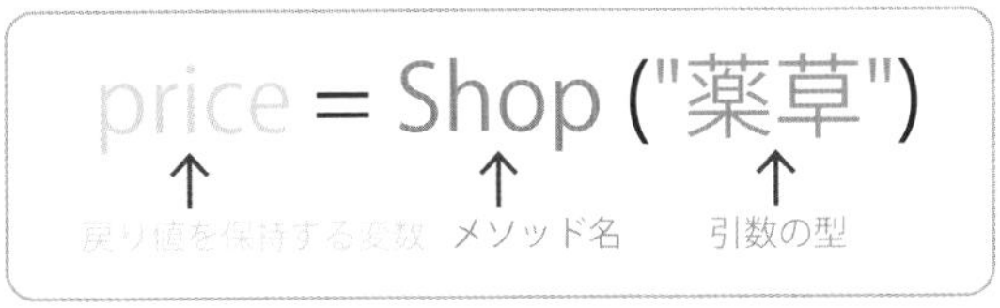

price = Shop ("薬草")

↑　　　↑　　　↑

戻り値を保持する変数　メソッド名　引数の型

return文を使うときの注意

　return文を実行すると強制的に呼び出し元に戻ります。もし、メソッドの途中でreturn文を書くと、それ以降のプログラムは実行されません（次の例では到達できないコードがあるため警告が出ます）。

Fig　return文に到達すると、それ以降は実行されない

```
int Shop(string itemName)
{
    int price = 0;
    return price;

    if (itemName == "薬草")
    {
        Console.WriteLine(itemName + "は100円です");
        price = 100;
    }
    // ・・・

    return price;                               ←── 実行されない
}
```

価格

練習問題 3-21

　List 3-20のShopメソッドに500円の万能薬を追加してください。また、薬草に続けて万能薬を購入してみてください。

練習問題 3-22

　int型の引数を3つ受け取り、その平均値をfloat型で返すCalcAverageメソッドを作ってください。

Chapter 3 の まとめ

　この章では変数の作り方や処理の制御方法、配列、メソッドの作り方を紹介しました。次章は、オブジェクト指向について解説していきます。

オブジェクト指向

4章ではオブジェクト指向について説明します。オブジェクト指向というと何か難しいもののように聞こえますが、3章で学んだメソッドと同様、「プログラムをまとめる」ための仕組みです。「クラス」と呼ばれる仕組みを使うことで、メソッドよりも大きな単位でプログラムのまとまりを作ることができます。ここではクラスの作り方と使い方に重点を置きながら、カプセル化・継承・ポリモーフィズムについても説明します。

4-1

オブジェクト指向とは

4章ではオブジェクト指向について学んでいきます。オブジェクト指向はプログラムをまとめるための仕組みです。4-1節では「どのような単位でプログラムをまとめればよいか」に焦点を当てて説明します。

オブジェクト指向のとらえかた

オブジェクト指向というと、これまで学んだ文法とは別に、何か特殊なプログラムを学ぶのか？と思われるかもしれませんが、そんなことはありません。オブジェクト指向は特定の文法を指した言葉ではなく、プログラムを書くときの考え方のことです。

4-2節ではオブジェクト指向を理解するうえで必須となる、クラスとインスタンスについて説明します。4-3節〜 4-5節では「クラス」を使うことで得られる便利機能を3つ（カプセル化・継承・ポリモーフィズム）紹介します。

Fig　オブジェクト指向で学ぶもの

プログラミングを始めたばかりの人や、大規模なプログラムを作ったことがない人には、これらの便利機能（カプセル化・継承・ポリモーフィズム）が何の役に立つのか実感しにくいかもしれません。これらの機能は「使うと楽ができそう」と感じたときに使えばよいもので、「オブジェクト指向でプログラミングするなら、必ずどこかで使わなければならない」というわけではありません。まずは必須となるクラスとインスタンスの関係をしっかりと理解しましょう。

オブジェクト指向の本質

　オブジェクト指向は、**クラス**と呼ばれるまとまりで**プログラムを分割して整理**する考え方です。3章ではメソッドという仕組みを使って処理を分割しましたが、プログラムの規模が大きくなると、メソッドを作るだけでは整理しきれなくなります。規模の大きなプログラムを作るためには、もう少し大きい単位でプログラムをまとめる必要があります。では、どのような単位で分割していけばよいのか、身近なものを例にして考えてみましょう。

　例えば家の中に散らばったものを整頓したいとき、鉛筆と消しゴムは文房具を入れる箱に、スポンジと洗剤は掃除用品を入れるケースにまとめるときちんと整理できますね。流し台に鉛筆があったり、事務作業する机に洗剤があると「なんでこんなところに？」と違和感があります。

Fig　関連するものをまとめる

　プログラムでも同じことが言えます。プレイヤの体力を表す変数や敵キャラを攻撃するメソッド、ショップのアイテム情報などを1つのファイルにまとめるより、「プレイヤ関連」「敵キャラ関連」「ショップ関連」のように、プログラムをそれぞれ関連のあるもの同士に分けて書くと、整理されて読みやすくなります。

Fig　関連するものを分けて書く

　このように、関連するもの同士（実際のプログラムでは関連のある変数とメソッド）を「クラス」という単位でまとめる考え方をオブジェクト指向と言います。

　次はクラスについて詳しく説明していきます。

4-2

クラスとインスタンス

「クラス」とは具体的にどんなものなのでしょうか。クラスの作り方と、作ったクラスの使い方を
説明します。

 ## クラスとは

4-1節で、「クラスとは関連するものをまとめる仕組み」だと説明しました。もう少しプログラム
に沿って言うと、「クラスとは、関連のある変数とメソッドをまとめたもの」です。

Fig 変数とメソッドをクラスにまとめる

![変数とメソッドをクラスにまとめる図]

「関連のある変数とメソッドをまとめる」と言っても、具体的に何をどうまとめればよいのでしょ
うか。クラスの文法を説明する前に、「どのようにプログラムをまとめてクラスを作るのか」を紹
介します。

Point!

オブジェクト指向とは
関連のある変数とメソッドをクラスという単位でまとめる考え方です。

クラスのまとまりを見つける方法

オブジェクト指向のイメージをつかむため、ここではゲームを例に説明します。「私が作りたいのはゲームじゃないのですが・・・」という人もいると思います。そんな方でも、何か1つの題材でクラス設計を考えられるようになれば、自分が実際に設計したい題材にも応用が効きます。イメージしやすそうな具体例から始めましょう。

ここでは、プレイヤが敵キャラを攻撃するゲームを例に、クラスの作り方を考えてみます。具体的には、次の3つの手順でクラスを作ります。

クラスを作る手順

手順1 アプリケーション内で変化する可能性のあるモノを書き出す
手順2 書き出したモノそれぞれに属する値を列挙する
手順3 書き出したモノそれぞれに対応する動作や処理を列挙する

Fig　プレイヤが敵を攻撃するゲームを例に考える

◆ 手順① アプリケーション内で変化する可能性のあるモノを書き出す

手順①では、アプリケーション内で変化する可能性のあるモノを書き出します。

アプリケーション内でモノを変化させようとすると、そのための変数や、処理をまとめたメソッドが必要になります。この「変化させるのに必要な変数やメソッド」を集めたものがクラスになります。今回の例ではプレイヤと敵は動くモノと見なせるので、「プレイヤ」クラスと「敵」クラスを作ります。

▶ **書き出したクラス：**プレイヤ、敵

♦ 手順② 書き出したモノそれぞれに属する値を列挙する

　書き出したモノに属する値（パラメータ、性質など）は、そのモノと関連が深い値と考えられるので、クラスの変数として持たせます。手順①で書き出した「プレイヤ」クラスに属する値として「名前」「HP」「MP」「レベル」などが考えられますね。この中からプログラムで使用するものを変数にします。また「敵」クラスに属する値も同様に「名前」「HP」「レベル」などが考えられます。

♦ 手順③ 書き出したモノそれぞれに対応する動作や処理を列挙する

　書き出したモノに関する「動作」を、そのクラスのメソッドとして持たせます。「プレイヤ」クラスに関する動作には「物理攻撃」や「魔法攻撃」などが考えられます。また、「敵」クラスに関する動作には「攻撃」や「逃走」などが考えられます。

　以上の3つの手順で、次のようなプレイヤクラスと敵クラスを書き出すことができました。

Fig　プレイヤクラスと敵クラス

　モノに属する値や動作を何にするかは作りたいものや考え方によって変わってくるので、自分で考えたものと本書で挙げたものが違っていても問題ありません。

step 01 プレイヤクラスを作ってみよう

　プレイヤクラスを例に、クラスの作り方と使い方を学びましょう。**変数**に**名前**と**体力**、メソッドに**攻撃**と**防御**を持つ**プレイヤクラス**を作ります。なお、ここでは学習のしやすさを考えて、変数とメソッドを先ほど考えたプレイヤクラスとは少し変えています。

Fig　作成するプレイヤクラス

　攻撃と防御のメソッドと言っても、コンソールに文字列で動作を表示する簡単なものを作ります。攻撃のメソッドを実行すると「○○（名前）は攻撃した」、防御のメソッドを実行すると「○○（名前）は防御した」と、それぞれコンソールに表示します。

Fig　コンソールに文字列で動作を表示する

◆ 新規プロジェクトを作成する

　Visual Studioで新規のプロジェクトを作りましょう。起動画面の右側で新しいプロジェクトの作成を選択するか、メニューバーで**ファイル→新規作成→プロジェクト**を選択してください（macOSの場合は起動画面で**新規**を選択するか、メニューバーで**ファイル→新しいプロジェクト**を選択してください）。

Fig　新規プロジェクトの作成①

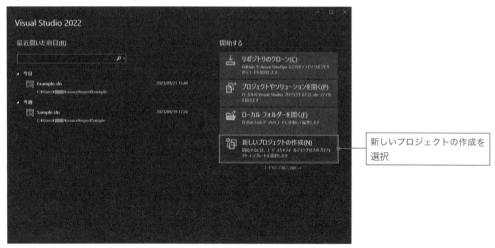

> 新しいプロジェクトの作成を
> 選択

　新しいプロジェクト作成画面が表示されます。画面右側から**コンソールアプリ**を選択して、**次へ**ボタンをクリックします（macOSの場合は新しいプロジェクト画面の左側から**Web**と**コンソール**→**アプリ**を選択し、画面中央で**コンソールアプリケーション**を選択してから**続行**ボタンをクリックしてください。次の画面では、ターゲットフレームワークは変更せずに**続行**ボタンをクリックしてください）。

Fig　新規プロジェクトの作成②

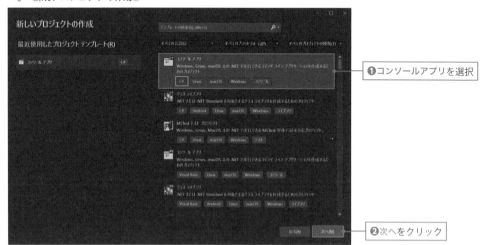

> ❶コンソールアプリを選択

> ❷次へをクリック

ここではプロジェクト名を「SampleRPG」としましょう。プロジェクトを保存する場所（任意）を指定して、次へボタンをクリックしてください（macOSの場合はプロジェクト名に「SampleRPG」と入力して作成ボタンをクリックしてください。プロジェクトが作成されます）。

Fig　プロジェクトの名前と保存場所を設定する

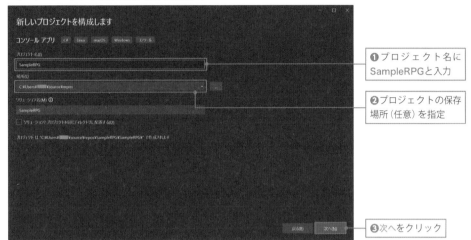

❶プロジェクト名に
SampleRPGと入力

❷プロジェクトの保存
場所（任意）を指定

❸次へをクリック

　フレームワークは変更せず、作成ボタンをクリックしてください。プロジェクトが作成されます。

Fig　フレームワークの設定

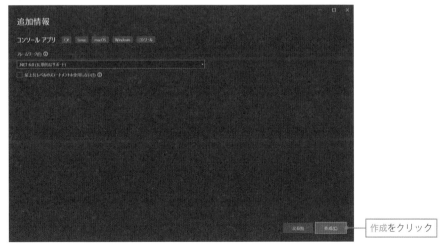

作成をクリック

♦ クラスを追加する

プレイヤクラスを作ります。クラスを作るには新しくクラス用のファイルを追加します。画面右側のソリューションエクスプローラーのSampleRPGの上で右クリックして、追加→新しい項目を選択してください（macOSの場合は次ページへ進んでください）。

Fig　クラスの追加①

新しい項目の追加画面で名前を「Player.cs」と入力して、追加ボタンをクリックしてください（次図「Fig クラスの追加②」のような画面よりも詳細な画面が表示された場合は、左下のコンパクトビューの表示ボタンをクリックしてください）。

Fig　クラスの追加②

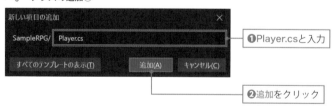

プロジェクトにPlayer.csファイルが追加され、ドキュメントウィンドウにPlayerクラスのプログラムが表示されます。このときのソリューションエクスプローラーとフォルダー構成は以下の図のようになっています。

Fig　プレイヤクラス作成時のソリューションエクスプローラー

― Player.csが追加される

Fig　プレイヤクラス作成時のフォルダー構成

　これで、関連するものを納める入れ物（クラスの枠）の部分ができました。次はここに変数やメソッド（クラスの中身）を追加します。

◆ macOSでクラスを追加する場合

　macOSの場合はSampleRPGの上で右クリックして、追加→新しいクラスを選択します。

Fig　クラスの追加①

❶SampleRPGの上で右クリック

❷追加→新しいクラスを選択

新しいファイル画面の左側から全般を選択し、中央の列から空のクラスを選択、名前を「Player」と入力して、作成ボタンをクリックしてください。

Fig　クラスの追加①

❶全般を選択
❷空のクラスを選択
❸Playerと入力
❹作成をクリック

ファイル名とクラス名

　C#では基本的に、クラス1つにつき1つのC#ファイル（拡張子「.cs」のファイル）を作ります。その際に、ファイル名とクラス名を同じにすることが多いですが、違っていてもエラーにはなりません。

◆ クラスの中身を作成する

　Playerクラスの中身を作っていきます。

　次のプログラムは、Playerクラスに変数とメソッドを追加しています。Player.csファイルの「internal class Player」のブロック内に、次のプログラムの網掛け部分を入力してください（macOSの場合は「public class Player」のブロック内の「public Player(){}」を消してからList 4-1を入力してください。WindowsとmacOSではクラス作成時のプログラム中のusingの数が違ったりclassの前がinternalではなかったりと若干違いますが、本書を進めるうえで実行結果に変わりはありません）。

List 4-1　Playerクラスの作成（Player.cs）　　　　　　　　　　　　　　　　　　　list4-1.txt

```
1 using System;
2 using System.Collections.Generic;
3 using System.Linq;
```

```
 4  using System.Text;
 5  using System.Threading.Tasks;
 6
 7  namespace SampleRPG
 8  {
 9      internal class Player
10      {
11          public string name;   // プレイヤの名前
12          public int hp;         // プレイヤの体力
13
14          // 攻撃メソッド
15          public void Attack()
16          {
17              Console.WriteLine(this.name + "は攻撃した");
18          }
19
20          // 防御メソッド
21          public void Defense()
22          {
23              Console.WriteLine(this.name + "は防御した");
24          }
25      }
26  }
```

解説 クラスを作る

クラスを作るための「変数」と「メソッド」をどのように書くか見ていきましょう。

クラスの書き方は次の通りです。classキーワードに続けて**クラス名**を書き、続くブロックの中に、クラスに関連する変数とメソッドを書きます。クラス内で宣言する変数を**メンバ変数**、クラス内で定義するメソッドを**メンバメソッド**と呼びます。また、classの前についているinternalについては134ページのアクセス修飾子という項目で説明します。

書式　クラスの書き方

```
class  クラス名
{
    メンバ変数の宣言
    …
    メンバメソッドの定義
    …
}
```

メンバ変数とメンバメソッド
クラス内で宣言した変数をメンバ変数、クラス内で定義したメソッドをメンバメソッドと呼びます。

　List 4-1の11行目〜12行目でメンバ変数（nameとhp）を宣言し、15行目〜24行目でメンバメソッド（AttackとDefense）を定義しています。各メソッド内ではメンバ変数nameを使ってプレイヤの名前と、攻撃または防御を表示しています。

　Playerクラスの17行目と23行目で、name変数の前に「this.」を付けています。thisは自分自身のインスタンスを表すキーワードです（インスタンスについては次ページで説明します）。メンバ変数と同じ名前のローカル変数があっても、「this.変数名」と書くことでthisを付けている方がメンバ変数、そうでなければローカル変数だと区別できます。

　メンバ変数やメンバメソッドの前に付いているpublicというキーワードはアクセス修飾子と呼ばれるものです。これについては、カプセル化の項目で詳しく説明します。

警告

　この状態でプログラムを実行すると、「エラー一覧」ウィンドウに警告が表示されます。警告は、文法上問題はないけども想定外のミスをしていませんか、という箇所に表示されます。エラーとは違い、そのままコンパイルできます。今回の警告は、宣言した変数に値を代入していないので表示されています。変数に値を代入する処理は後に説明するコンストラクタで行います。

✎ 練習問題 4-1

　敵クラスを作ってください。メンバ変数に「HP」、メンバメソッドに「攻撃」と「逃走」を持たせましょう。攻撃メソッドでは「敵の攻撃！」と表示し、逃走メソッドでは「逃げられた！」と表示してください。

※練習問題の解答例はサポートページ（https://isbn2.sbcr.jp/23173/）からダウンロードできます。

_{step}
02 　クラスのインスタンスを作ってみよう

Playerクラスを作れたので、実際に動かしてみましょう。メソッドは呼び出さないと実行され
なかったように、クラスも作っただけでは実行されません。クラスを実行する方法を学びましょう。

Visual Studioのドキュメントウィンドウから**Program.cs**タブを選択してください。

Fig　**Program.csを表示する**

Program.csファイルに、次のプログラムを入力してください。このプログラムは、List 4-1の
Playerクラスを元に2つの変数を作り、メンバ変数とメンバメソッドを使っています。

List 4-2　**Playerクラスを使用①（Program.cs）**　　　　　　　　　　　　　　　　　　　⬇ list4-2.txt

```
 1 using SampleRPG;
 2
 3 // player1のインスタンスを作り、名前と体力を代入
 4 Player player1 = new Player();
 5 player1.name = "たかし";
 6 player1.hp = 100;
 7
 8 // player2のインスタンスを作り、名前と体力を代入
 9 Player player2 = new Player();
10 player2.name = "ひろし";
11 player2.hp = 50;
12
13 player1.Attack();    // player1が攻撃する
14 player2.Defense();   // player2が防御する
```

プログラムが入力できたら実行してみましょう。メニューバーからデバッグ→デバッグなしで開始を選択するか、Windowsの場合は Ctrl + F5 キー、macOSの場合は option + command + Return キーを入力してください。

▼ 実行結果

```
たかしは攻撃した
ひろしは防御した
```

Fig　プログラムの実行

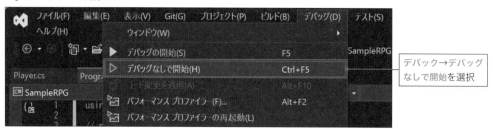

デバック→デバッグ
なしで開始を選択

 クラスのインスタンスを作る

　クラスはプログラムの中でintやstringなどの型と同様に扱うことができます。つまりPlayerクラスを作ると、int型やstring型と同じようにPlayer型が使えるようになるのです。

Fig　クラスを「型」として扱う

int型　　　　　Player型

クラスとは
クラスとはプログラマが作る「型」です。

Playerクラスを使うために、Player型の変数を宣言する必要があります。List 4-2の4行目の左辺で、Player型のplayer1変数を宣言しています。

　3章でも説明した通り変数はただの箱なので、その中に値を入れて使います。int型の場合は変数に「10」や「500」のような整数値、string型の場合には「"きたむら"」のような文字列を入れました。同じように、Player型の変数には「Playerクラスの実体」を入れます。また、この実体のことをインスタンスと呼びます。

　インスタンスを作るためにはnew演算子を使って「new クラス名()」と書きます。

書式　インスタンスの作成方法

```
クラス型の変数  =  new  クラス名();
```

Fig　クラス型の変数にインスタンスを入れる

```
Player player1  =  new Player();
```

　List 4-2の4行目の右辺でPlayerクラスのインスタンスを作っています。そして、作成したインスタンスをplayer1変数に代入しています。クラスはあくまでも「型」であり、ここで変数に代入しているのは、クラスを元に作り出した「**クラスのインスタンス**」だということを忘れないでください。

　クラスは設計図で、インスタンスは設計図から作られる製品と考えると理解しやすいかもしれません。

Fig　クラスからインスタンスを生成する

Playerクラス　　　　　　　インスタンス

> **Point!**

クラスとインスタンス
クラスは「型」で、変数にはクラスを元に作成した「インスタンス」を代入します。

5行目〜6行目では、インスタンスに名前と体力を代入しています。インスタンスは、作成元のクラスのメンバ（変数・メソッド）を持っています。つまりplayer1のインスタンスは、元となるPlayerクラスのメンバ変数（name・hp）とメンバメソッド（Attack・Defense）を持っていて、それらを使うことができます。インスタンスの持つメンバ変数にアクセスするためには、「変数名.メンバ変数名」と書き、メンバメソッドを呼び出すときは「変数名.メンバメソッド名」と書きます。

書式　メンバへのアクセス方法

```
変数名.メンバ変数名
変数名.メンバメソッド名
```

　ここではそれぞれのインスタンスの持つメンバ変数にアクセスして、player1の名前を「たかし」、体力を「100」に設定しています。
　9行目では、player2変数にインスタンスを代入し、10行目〜11行目でplayer2の名前を「ひろし」、体力を「50」に設定しています。このように、クラスを型として利用することで、簡単に複数のインスタンスを作成することができます。
　13行目でplayer1変数（に代入したインスタンス）のAttackメソッド、14行目でplayer2変数（に代入したインスタンス）のDefenseメソッドを呼び出しています。

Fig　インスタンスからクラスのメンバを利用できる

　以上で、「クラスを作ること」と「クラスからインスタンスを作って使うこと」ができるようになりました。
　なお、1行目のusingの意味については、5章で説明します。

クラスはなぜ実体ではなく型なの？

「クラスのインスタンスを作ってみよう」を読むまでは、「Playerクラス＝プレイヤそのもの」だと考えた方もいたと思います。Playerクラスを「プレイヤそのもの」ではなく「型」として使うには理由があります。

もしクラスがプレイヤそのものだった場合、必要な人数分のクラスを作らなくてはいけなくなります。List 4-2の例では、「たかしクラス」と「ひろしクラス」が必要になります。同じメンバを持つクラスを複数作るのは無駄ですね。そこで、クラスを型として使うことで、複数人のプレイヤを作ることになっても、クラスをもとに必要な数だけインスタンスを作ればすむようになっています。

サンプルファイル ▶ list¥chapter4¥list4-3.txt〜list4-4.txt

step 03 コンストラクタで初期値の代入忘れを防ごう

List 4-2のサンプルでは、プレイヤのインスタンスを作った直後にメンバ変数（名前・体力）を代入しました。メンバ変数が2つ程度なら忘れずに初期値を代入できますが、多くなると初期値の代入を忘れるかもしれません。初期値の代入を忘れると、体力が「0」で名前のない、ゾンビのようなプレイヤができてしまいます（変数のデフォルト値は45ページを参照）。

このような初期値の代入忘れを防ぐため、インスタンスを作ると同時にメンバ変数へ初期値を代入できるコンストラクタという仕組みがあります。

次のプログラムは、メンバ変数に初期値を代入するコンストラクタをPlayerクラスに追加しています。Player.csに追加部分を入力してみましょう。

List 4-3　コンストラクタを追加（Player.cs）　　　　　　　　⬇ list4-3.txt

```
 9 internal class Player
10 {
11     public string name;   // プレイヤの名前
12     public int hp;        // プレイヤの体力
13
14     // Playerクラスのコンストラクタ
15     public Player()
16     {
17         this.name = "たかし";
18         this.hp = 100;
19     }
20
```

```
21        // 攻撃メソッド
22        public void Attack()
23        {
24            Console.WriteLine(this.name + "は攻撃した");
25        }
26
27        // 防御メソッド
28        public void Defense()
29        {
30            Console.WriteLine(this.name + "は防御した");
31        }
32 }
```

Playerクラスを使う側のプログラムも変更しましょう。Program.csを開き、以下のように書き換えてください。

List 4-4　Playerクラスを使用②（Program.cs）　　　　　　　　⬇ list4-4.txt

```
1 using SampleRPG;
2
3 // player1のインスタンスを作る
4 Player player1 = new Player();
5
6 // player1の体力をコンソールに表示
7 Console.WriteLine(player1.name + "の体力は" + player1.hp);
```

▼ 実行結果

```
たかしの体力は100
```

コンストラクタでメンバ変数に初期値を代入する

List 4-3の15行目〜 19行目がPlayerクラスのコンストラクタです。コンストラクタは特殊なメソッドで、「インスタンス作成時に必ず呼び出される」という特徴があります。

コンストラクタの書き方は次の通りです。コンストラクタの名前はクラスと同じ名前にし、先頭にpublicを付けます。「戻り値の型」は書かないことに注意してください。

```
public クラス名()
{
    クラスの初期化処理;
}
```

今回のプログラムでは「Player」クラスのコンストラクタを作成しているので、コンストラクタの名前も「Player」になります。コンストラクタの中ではメンバ変数のnameとhpに初期値を代入しています。それぞれのメンバ変数にはthisキーワードを付けて、Playerクラスのメンバ変数であることを明示しています。

さて、プレイヤのインスタンスを作るときに「new Player();」と書きましたが、実はこの「Player()」の部分がコンストラクタの呼び出しになっています。

Fig　コンストラクタの呼び出し

```
Player player = new Player();
                          ↑
                      コンストラクタ
```

この図からもわかるように、インスタンスを作るときは必ずコンストラクタを呼び出すことになります。したがって、コンストラクタでメンバ変数に値を代入する処理を書いておけば、必ずメンバ変数に初期値が入るというわけです。

デフォルトコンストラクタ

List 4-1ではコンストラクタを書いていませんが、List 4-2で「new Player();」と書いてインスタンスを作成できました。理由は、自分でコンストラクタを書いていない場合はコンパイラが自動で引数も処理もないコンストラクタを生成するからです。

これをデフォルトコンストラクタと呼びます。自分でコンストラクタを書いた場合は、デフォルトコンストラクタは生成されません。

^{step}
04 引数付きのコンストラクタを作ろう

コンストラクタを使うことで体力が「0」のゾンビプレイヤは作成されなくなりました。ただ、このままでは、常に名前が「たかし」、HPが「100」のインスタンスが生成されてしまいます。これ以外の初期値を入れたい場合は、必要に応じて名前と体力を代入する必要があります。

Fig　みんな「たかし」になってしまう

インスタンスの生成と同時に初期値を指定できるとさらに便利ですね。次のプログラムは、List 4-3のコンストラクタを引数付きのコンストラクタに修正したものです。実際に入力して動作を確認してみましょう。

List 4-5　引数を持つコンストラクタを追加（Player.cs）　　　　　　　　　　　⬇ list4-5.txt

```
 9 internal class Player
10 {
11     public string name;   // プレイヤの名前
12     public int hp;        // プレイヤの体力
13
14     // Playerクラスのコンストラクタ
15     public Player(string name, int hp)
16     {
17         this.name = name;   // 名前の初期値を代入
18         this.hp = hp;       // 体力の初期値を代入
19     }
20
21     // 攻撃メソッド
22     public void Attack()
23     {
24         Console.WriteLine(this.name + "は攻撃した");
25     }
26
```

```
27        // 防御メソッド
28        public void Defense()
29        {
30            Console.WriteLine(this.name + "は防御した");
31        }
32 }
```

クラスを使用する側も変更します。

List 4-6 **Playerクラスを使用③**（Program.cs）   ⬇ list4-6.txt

```
1 using SampleRPG;
2
3 // コンストラクタに引数を渡してインスタンスを作る
4 Player player = new Player("ひろし", 100);
5
6 // playerの体力をコンソールに表示
7 Console.WriteLine(player.name + "の体力は" + player.hp);
```

▼実行結果

```
ひろしの体力は100
```

(解説) 引数付きコンストラクタ

　メソッドと同じように、コンストラクタにも引数を渡すことができます。コンストラクタの引数に初期値を渡すことで、インスタンスの作成と同時にメンバ変数に初期値を代入できます。

　List 4-5の15行目～19行目が、引数付きのコンストラクタです。このコンストラクタでは引数で受け取った初期値をそれぞれメンバ変数に代入しています。引数の変数とメンバ変数が同じ名前ですが、メンバ変数に「this.」を付けることでこれらを区別しています。

　List 4-6の4行目ではPlayerクラスのインスタンスを作っています。今回は引数付きのコンストラクタを呼び出すので、引数に「名前」と「体力」の初期値を渡しています。なお、インスタンスを作るとき、引数付きのコンストラクタに初期値を渡し忘れると、エラーが発生して引数の渡し忘れを知らせてくれます。

　ここまででクラスの基礎は学べました。クラスとインスタンスの関係は今後も無視できない仕組みなので、しっかりと復習しておいてください。

4-3

カプセル化
～クラスの中身を隠す仕組み～

4-2節ではオブジェクト指向を考えるうえで大切な「クラスとインスタンス」を学習しました。ここからはオブジェクト指向でプログラミングするときに使える便利な機能を見ていきます。1つ目は「カプセル化」です。

 ## カプセル化はなぜ必要？

これまで作ってきたクラスのメンバ変数やメンバメソッドの前には、**public**というキーワードを付けてきました。このpublicは**アクセス修飾子**と呼ばれるものです。アクセス修飾子がpublicであれば他のクラスから「変数名.メンバ名」と書いてメンバ変数やメンバメソッドにアクセスできます。

一方、アクセス修飾子にはpublicと逆の機能を持つ**private**もあります。privateにすると外部からはメンバにアクセスできなくなります。このように、アクセス修飾子を使うことで他のクラスからメンバにアクセスできるかどうかを決めることができます。特に、メンバ変数やメンバメソッドをprivateにしてアクセスさせないようにすることを**カプセル化**と呼びます。

Fig アクセス修飾子を使ったカプセル化

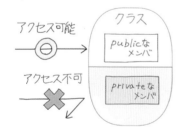

では、なぜ他のクラスからのアクセスを制限する必要があるのでしょうか。主に次の2つの理由が考えられます。

▶ **クラスの中で、利用してほしい機能だけを使えるようにする**
▶ **クラスを使う人がメンバ変数におかしな値を入れないようにする**

この2つについて、もう少し詳しく見ていきます。

◆ 必要な機能だけを使えるようにする

　例えば自動販売機を使うとき、内部の複雑な構造までも知る必要はありません。どのボタンを押せばジュースが買えるのか、それさえわかればよいのです。クラスを使うときも同じです。クラスで内部的に使っているメンバの全てを知る必要はありません。全部見えてしまうと、どれを使えばよいのかわかりにくくなってしまいます。そこでアクセス修飾子を使って、見る必要のないものは隠し、使わせたいメンバだけにアクセスできるようにします。

Fig　使ってほしい機能だけを見えるようにする

複雑な内部構造は
知らなくていい

◆ クラスの中におかしな値を入れられないようにする

　また自動販売機では、取り扱い可能な硬貨以外は受け付けず、意図しない硬貨が入ることを防いでいます。クラスも同様で、クラスのメンバ変数には外部から直接アクセスできないようにしておき、メンバ変数に意図しない値が入ることを防ぎます。

> **Point!**
>
> **カプセル化とは**
> クラス内部のメンバを隠して（隠蔽）利用してほしい機能だけを使えるようにするとともに、クラスを使う人がメンバ変数におかしな値を入れないようにする仕組みです。

step 01 アクセス修飾子でメンバ変数に鍵をかけよう

次のプログラムは、Playerクラスのメンバ変数（name変数とhp変数）へのアクセスを不可能にして、メンバメソッドだけにアクセスできるように変更したものです。実際に入力して動きを確かめてみましょう。

先にPlayer.csファイルのPlayerクラスを書き換えます。

List 4-7　アクセス修飾子の使用例（Player.cs）　　　　　　　　　　　　　　　　⬇ list4-7.txt

```
 9 internal class Player
10 {
11     // privateなメンバ変数を宣言
12     private string name;
13     private int hp;
14
15     // 以下、publicなコンストラクタとメンバメソッドを定義
16     public Player(string name, int hp)
17     {
18         this.name = name;
19         this.hp = hp;
20     }
21
22     public void Attack()
23     {
24         Console.WriteLine(this.name + "は攻撃した");
25     }
26
27     public void Defense()
28     {
29         Console.WriteLine(this.name + "は防御した");
30     }
31 }
```

続けてProgram.csを書き換えます。

List 4-8　**Playerクラスを使用④（Program.cs）**　　　　　　　　　　　　　　　⬇ list4-8.txt

```
1 using SampleRPG;
2
3 Player player = new Player("ひろし", 100);
4 player.hp = -120;   // メンバ変数hpにはアクセスできないのでコンパイルエラー
```

プログラムを実行すると、次のようなエラーが出ます。

Fig　エラー表示

 **アクセス修飾子**

　アクセス修飾子は、メンバ変数やメンバメソッドを「○○.メンバ変数名」「○○.メンバメソッド名」と書いて呼び出せるようにするかどうかを指定できます。アクセス修飾子には次の種類があります。

Table　アクセス修飾子の種類

アクセス修飾子	意味
public	全てのクラスからアクセス可能
protected	自分のクラスまたは派生クラスからのみアクセス可能
private	自分のクラス以外からはアクセス不可能
internal	同じアセンブリ内のクラスからアクセス可能

　publicで宣言した変数は、どのクラスからもアクセスできます。一方、**private**で宣言した変数は自分のクラス以外からアクセスできません。public（公開の）とprivate（非公開の）は、その名の通りなのでわかりやすいかと思います。**protected**は4-4節で学ぶ「継承」という機能と関連しているので、そちらで改めて説明します。また、**internal**は同じアセンブリ内（exeやdllのことで、Visual Studioでプログラムを作っている場合はプロジェクト内のこと）であれば、全てのクラスからアクセス可能です。ここではpublicとprivateの役割を覚えておきましょう。

アクセス修飾子は次のように、メンバ変数の宣言やメンバメソッドの定義の手前に書きます。

```
アクセス修飾子 型名 メンバ変数名;
アクセス修飾子 戻り値の型 メンバメソッド名(){};
```

List 4-7ではメンバ変数におかしな値を入れられないように、12行目〜13行目でname変数とhp変数にprivateを指定しています。

```
private string name;
private int hp;
```

AttackメソッドとDefenseメソッドにはpublicを指定したままにして、外部からこれらのメソッドにアクセスできるようにしています。

```
public void Attack()
public void Defense()
```

Fig publicとprivateを使い分ける

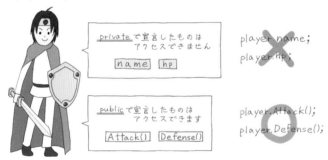

name変数とhp変数はprivateにしたため、List 4-8でプレイヤのhp変数に「-120」という値を入れようとしても、コンパイルエラーが出て代入できません。通常、ゲームのプレイヤの体力はマイナスの値になることはないので、このような想定していない値が入るのを防げます。ただ、このままだとhp変数に正しい値も代入できなくなってしまいます。そこで次は、hp変数に想定している値だけを代入できるようにする方法を紹介します。

メンバ変数がpublicだと・・・

メンバ変数hpをpublicにしておくと、プレイヤの体力を「0～100」の範囲に保ちたいと思っていても、次のように直接メンバ変数に代入できるので、容易に範囲外の値になってしまいます。

```
player.hp = -120;
```

こんなミスしないだろう！と思うかもしれませんが、次のように、敵に遭遇してダメージを受けるたびに際限なくHPを減らしていくと、いつのまにかHPがマイナスになってしまう可能性もあります。メンバ変数が意図しない値になることを防ぐためにも、基本的にメンバ変数のアクセス修飾子はprivateにして、次に紹介するアクセサで間接的にアクセスすることが理想的です。

```
player.hp -= 20;   // 敵に遭遇した！
player.hp -= 30;   // 敵に遭遇した！
player.hp -= 60;   // 敵に遭遇した！
Console.WriteLine(player.hp);     // HPがマイナスになってしまうかも
```

アクセス修飾子を省略すると・・・

メンバ変数にアクセス修飾子を付けずに宣言した場合には、privateを付けて宣言したものと見なされます。また、クラスにアクセス修飾子を付けない場合、internalが付いているものと見なされます。

^{step} 02 メンバ変数にアクセスできる手段を作ろう

メンバ変数に想定していない値が代入されないように、name変数とhp変数をどちらもprivate にして外のクラスからアクセスできないようにしました。

Fig　privateで外からアクセスできなくする

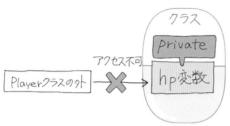

しかし、hp変数をprivateにしたことで、おかしな値だけでなく正しい値も代入できなくなって しまいました。正しい値と判定したときだけhp変数に値を代入できるようにしましょう。

次のプログラムは、メンバ変数に値を代入・取得するメンバメソッドを追加しています。入力して みましょう。

最初にPlayerクラス（Player.cs）にメンバメソッドを追加します。

List 4-9　メンバ変数に値を代入・取得するメソッドを追加（Player.cs）　　　　　　　　　⬇ list4-9.txt

```
 9 internal class Player
10 {
11     // privateなメンバ変数を宣言
12     private string name;
13     private int hp;
14
15     // 以下、publicなコンストラクタとメンバメソッドを定義
16     public Player(string name, int hp)
17     {
18         this.name = name;
19         this.hp = hp;
20     }
21
22     // hp変数に値を代入する
23     public void SetHp(int hp)
24     {
25         this.hp = hp;
26         if (this.hp < 0)
```

```
27            {
28                this.hp = 0;
29            }
30        }
31
32        // hp変数の値を取得する
33        public int GetHp()
34        {
35            return this.hp;
36        }
37
38        public void Attack()
39        {
40            Console.WriteLine(this.name + "は攻撃した");
41        }
42
43        public void Defense()
44        {
45            Console.WriteLine(this.name + "は防御した");
46        }
47 }
```

続けて、Program.csを書き換えます。

List 4-10 Playerクラスを使用⑤ (Program.cs)   ⬇ list4-10.txt

```
 1 using SampleRPG;
 2
 3 Player player = new Player("ひろし", 100);
 4 // 現在の体力の値を取得
 5 int hp = player.GetHp();
 6 // 体力の値を減らす
 7 int newHP = hp - 2000;
 8 // newHPをplayerの体力に代入する
 9 player.SetHp(newHP);
10 // playerの今の体力を表示する
11 Console.WriteLine("HPは" + player.GetHp());
```

▼実行結果

```
HPは0
```

解説 **メンバメソッド経由でメンバ変数を書き換える**

List 4-9ではhp変数に値を代入する**SetHp**メソッド（23行目〜30行目）と、hp変数の値を取得する**GetHp**メソッド（33行目〜36行目）を追加しています。SetHpやGetHpメソッドなど、メンバ変数にアクセスするためのメソッドを**アクセサ**と呼びます。このアクセサをpublicにしておき、アクセサの中でprivateな変数を書き換えることで、メンバ変数を更新できるようにします。

Fig メソッドを介して変数にアクセスする

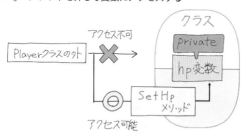

SetHpメソッドは、引数にhpを受け取り、メンバ変数hp（this.hp）に代入します。このとき、hp変数がおかしな値（マイナスの値）にならないようにif文でチェックして、hp変数がマイナスのときは「0」を代入し直しています。

GetHpメソッドはメンバ変数hp（this.hp）の値を返します。これらのアクセサはpublicにして外部のクラスからアクセス可能にしています。

Fig メソッドに見せる

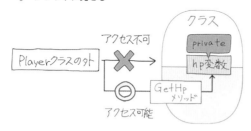

◆ **練習問題** 4-2

List 4-9にname変数のアクセサ（GetNameメソッドとSetNameメソッド）を追加してください。SetNameメソッドでは、8文字以下の文字列が渡された場合だけname変数に代入するように作ってみてください。

step 03 プロパティで簡潔にまとめる

　メンバ変数をprivateにし、アクセサで値の整合性をチェックすることで、メンバ変数におかしな値が入ることを防ぎました。ただ、メンバ変数であるhpから一定値を増やしたり減らしたりする場合、以下のように「-=」で減算することはできず、アクセサを使った冗長な書き方になってしまいます。

```
// このように書けない
player.hp -= 10;

// このように書く
int newHp = player.GetHp();
newHp -= 10;
player.SetHp(newHp);
```

　このような冗長さを避けるため、C#には**プロパティ**という仕組みがあります。次のプログラムを入力してみましょう。

　最初に、Playerクラス（Player.cs）を書き換えます。

List 4-11　hpメンバ変数のプロパティを作成（Player.cs）　　　　　　　　　　　⬇ list4-11.txt

```
 9 internal class Player
10 {
11     // privateなメンバ変数を宣言
12     private string name;
13     private int hp;
14
15     // 以下、publicなコンストラクタとメンバメソッドを定義
16     public Player(string name, int hp)
17     {
18         this.name = name;
19         this.hp = hp;
20     }
21
22     // Hpプロパティ
23     public int Hp
24     {
25         set
26         {
27             this.hp = value;
28             if (this.hp < 0)
```

```
29            {
30                this.hp = 0;
31            }
32        }
33        get
34        {
35            return this.hp;
36        }
37    }
38
39    public void Attack()
40    {
41        Console.WriteLine(this.name + "は攻撃した");
42    }
43
44    public void Defense()
45    {
46        Console.WriteLine(this.name + "は防御した");
47    }
48 }
```

続けて、Program.csを書き換えます。

List 4-12　Playerクラスを使用⑥（Program.cs）　　　　　　　　　　　⬇ list4-12.txt

```
1 using SampleRPG;
2
3 Player player = new Player("ひろし", 100);
4 // playerのHpプロパティに代入
5 player.Hp -= 70;
6 Console.WriteLine("HPは" + player.Hp);
```

▼ 実行結果

```
HPは30
```

144

プロパティとは

プロパティはアクセサを作る仕組みです。プロパティを使って作成したアクセサは、他のクラスから使うときはメンバ変数にアクセスするように使えます。

♦ プロパティの書き方

プロパティの書き方は次のようになります。

4

4-3
▼
カプセル化〜クラスの中身を隠す仕組み〜

書式　プロパティの書き方

```
public プロパティの型名 プロパティ名
{
    set
    {
        変数名 = value;
    }
    get
    {
        return 変数名;
    }
}
```

List 4-11のプロパティの内容を見ていきましょう。23行目〜37行目で「Hp」という名前のプロパティを作っています。プロパティ名は基本的に大文字で始めます。setブロックにはメンバ変数に値を代入するときの処理を書きます。代入する値はvalueというキーワードで指定するので、メンバ変数に値を代入するためには「代入したいメンバ変数 = value;」と記述します。27行目〜31行目では、valueの値をhpメンバ変数に代入して、hpメンバ変数がマイナスのときは「0」を代入し直しています。

getブロックの中にはメンバ変数の値を取得する処理を書きます。35行目ではhpメンバ変数の値をreturn文で返しています。

♦ プロパティの使い方

List 4-12の5行目でHpプロパティを使ってプレイヤの体力を減らしています。このように、プロパティはメンバ変数に直接アクセスするかのように扱うことができます。

Point!

プロパティのよいところ
プロパティはsetとgetのアクセサを記述して作ります。他のクラスからプロパティを使うときはメンバ変数にアクセスするような感覚で使えます。

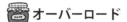

オーバーロード

　メソッドを定義するとき、引数の個数や引数の型が異なっていれば、同じ名前のメソッドを複数定義することができます。これをメソッドのオーバーロードと呼びます。

　例えば、これまで使用してきたConsole.WriteLineメソッドは引数に数値を与えた場合も、文字列を与えた場合も正しく動作しました。これは、次のようにConsoleクラス内でWriteLineメソッドが何種類もオーバーロードされているからです（以下は一例です）。

```
public static void WriteLine(int value)
{
    // 数値を表示する処理;
}

public static void WriteLine(string value)
{
    // 文字列を表示する処理;
}
```

　この章で紹介したコンストラクタもオーバーロードすることができます。

　例えば次のように、引数なしのコンストラクタとint型の引数を取るコンストラクタの2種類を作ったとします。このクラスのインスタンスを引数なしで作った場合は引数なしのコンストラクタが実行され、int型の引数を渡してインスタンスを作った場合はint型の引数を持つコンストラクタが実行されます。

```
class Player
{
    int hp;

    public Player()
    {
        this.hp = 100;  // 引数がなかった場合は「100」に設定する
    }

    public Player(int hp)
    {
        this.hp = hp;  // 引数があった場合は引数の値に設定する
    }
}

Player player1 = new Player();      // HPは「100」
Player player2 = new Player(500);  // HPは「500」
```

146

4-4

継承 〜プログラムの重複を避ける仕組み〜

4-3節ではオブジェクト指向でプログラミングするときに便利な1つ目の機能、カプセル化について説明しました。4-4節では2つ目の便利な機能、継承を説明していきます。

 類似したクラスを考える

プログラムを作っていくと、類似したクラスを作ることがあります。ここではレースゲームのカートを例に考えてみましょう。作成するカートは「飛行機能が付いたカート」と「ターボ機能が付いたカート」です。これらのカートには前進するために「加速する」という共通の機能が必要になります。また、カート個別の機能として「飛行機能」や「ターボ機能」が必要となります。

Fig 飛行カートクラスとターボカートクラス

これまでの知識で飛行カートとターボカートのクラスを作ると、2つのクラスに共通する変数やメソッドは2回書くことになります。今回はカートの種類が2つなのでまだよいのですが、カートの種類が増えるたびに同じ処理を書くのは手間ですし、共通機能の変更があったときに修正範囲が広くなるという問題もあります。これらの問題を解決するため、オブジェクト指向の便利機能「継承」があります。

まずは、継承を使わない場合に共通機能の修正がどれほど大変になるかを、上記2つのカートのクラスを作りながら確かめてみましょう。

step 01 継承を使わずにSkyKartとTurboKartを作る

飛行カート用の**SkyKartクラス**から作っていきましょう。まずは、継承の学習用に新しいプロジェクトを作成します。

Visual Studioで新規のプロジェクトを作りましょう。起動画面の右側で新しいプロジェクトの作成を選択するか、メニューバーで**ファイル→新規作成→プロジェクト**を選択してください（macOSの場合は起動画面で**新規**を選択するか、メニューバーで**ファイル→新しいプロジェクト**を選択してください）。

Fig 新規プロジェクトの作成①

新しいプロジェクト作成画面が表示されます。画面右側から**コンソールアプリ**を選択して、**次へ**ボタンをクリックします（macOSの場合は新しいプロジェクト画面の左側から**Webとコンソール→アプリ**を選択し、画面中央で**コンソールアプリケーション**を選択してから**続行**ボタンをクリックしてください。次の画面では、ターゲットフレームワークは変更せずに**続行**ボタンをクリックしてください）。

Fig　新規プロジェクトの作成②

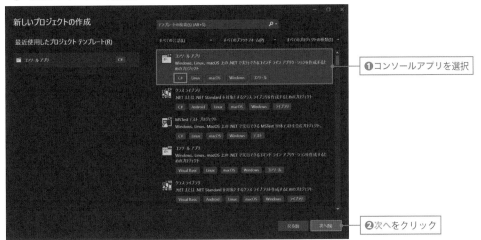

❶コンソールアプリを選択

❷次へをクリック

　ここではプロジェクト名を「KartGame」としましょう。プロジェクトを保存する場所（任意）を指定して、次へボタンをクリックしてください（macOSの場合はプロジェクト名に「KartGame」と入力して作成ボタンをクリックしてください。プロジェクトが作成されます）。

Fig　プロジェクトの名前と保存場所を設定する

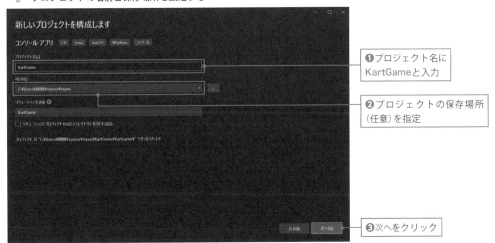

❶プロジェクト名に
KartGameと入力

❷プロジェクトの保存場所
（任意）を指定

❸次へをクリック

フレームワークは変更せず、作成ボタンをクリックしてください。プロジェクトが作成されます。

Fig　フレームワークの設定

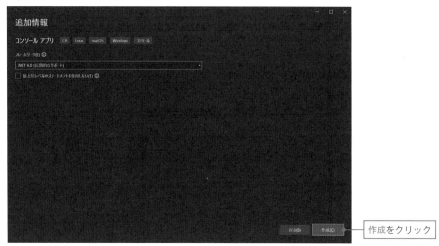

作成をクリック

♦ クラスを追加する

　プロジェクトが作成できたら、SkyKartクラスを作ります。ソリューションエクスプローラーの
KartGameの上で右クリックして、追加→新しい項目を選択してください（macOSの場合はソ
リューションのKartGameの上で右クリックして、追加→新しいクラスを選択します）。

Fig　SkyKartクラスの追加①

❶KartGameの上で右クリック

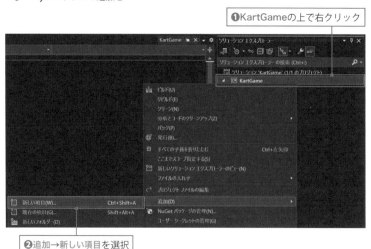

❷追加→新しい項目を選択

新しい項目の追加画面で、名前を「SkyKart.cs」と入力して追加ボタンをクリックしてください（macOSの場合は新しいファイル画面の左側から全般を選択し、中央から空のクラスを選択、名前をSkyKartと入力して作成ボタンをクリックしてください）。

Fig　SkyKartクラスの追加②

　同様の手順で、TurboKartクラスも作成します。ソリューションエクスプローラーのKartGameの上で右クリックして、追加→新しい項目を選択します（macOSの場合はソリューションのKartGameの上で右クリックして、追加→新しいクラスを選択します）。

Fig　TurboKartクラスの追加①

　新しい項目の追加画面が開くので、名前を「TurboKart.cs」と入力して追加ボタンをクリックしてください（macOSの場合は新しいファイル画面の左側から全般を選択し、中央から空のクラスを選択、名前をTurboKartと入力して作成ボタンをクリックしてください）。

Fig　TurboKartクラスの追加②

◆ クラスの中身を入力する

　作成したSkyKart.csに、次のプログラムを入力してください（macOSの場合はコンストラクタ「`public SkyKart(){}`」を削除してから入力してください）。

　SkyKartクラスでは、カートの重量（weight）と速度（speed）を表すメンバ変数と、加速（Force）と離陸（Flying）するメンバメソッドを作成しています（ここでは学習のしやすさを優先してメンバ変数をpublicにしています）。

List 4-13　SkyKartクラスの作成（SkyKart.cs）　　　　　　　　　　　　　　　⏬ list4-13.txt

```
 9 internal class SkyKart
10 {
11     public int weight;  // 重量
12     public int speed;   // 速度
13
14     // アクセルを踏むメソッド
15     public void Force()
16     {
17         Console.WriteLine("加速");
18     }
19
20     // 離陸するメソッド
21     public void Flying()
22     {
23         Console.WriteLine("離陸！");
24     }
25 }
```

　続けてTurboKart.csに、次のプログラムを入力します（macOSの場合はコンストラクタ「`public TurboKart(){}`」を削除してから入力してください）。

　TurboKartクラスでは重量（weight）と速度（speed）を表すメンバ変数、加速（Force）とターボ（Turbo）のメンバメソッドを作成しています。

List 4-14　TurboKartクラスの作成（TurbKart.cs）　　　　　　　　　　　⬇ list4-14.txt

```
 9 internal class TurboKart
10 {
11     public int weight;   // 重量
12     public int speed;    // 速度
13
14     // アクセルを踏むメソッド
15     public void Force()
16     {
17         Console.WriteLine("加速");
18     }
19
20     // ブーストするメソッド
21     public void Turbo()
22     {
23         Console.WriteLine("ブースト!");
24     }
25 }
```

サンプルファイル ▶ list¥chapter4¥list4-15.txt〜list4-16.txt

step 02　継承を使わずに作った場合の問題点

　さて、順調にカートを作っていたのですが・・・、ゲーム作りを進めていくうちに、Forceメソッド
は「加速」だけでなく、「減速」もできる方がよいことがわかりました。

　ForceメソッドはSkyKartクラスとTurboKartクラスにあるので、両方のクラスのForceメソッド
を修正することになります。次の2つのプログラムの修正箇所は次のようになります。

List 4-15　SkyKartクラスのForceメソッドを修正（SkyKart.cs）　　　　　　⬇ list4-15.txt

```
 9 internal class SkyKart
10 {
11     public int weight;   // 重量
12     public int speed;    // 速度
13
14     // アクセルを踏むメソッド
15     public void Force()
16     {
17         Console.WriteLine("加速or減速");   // 減速機能を追加
18     }
19
```

```
20      // 離陸するメソッド
21      public void Flying()
22      {
23          Console.WriteLine("離陸！");
24      }
25 }
```

List 4-16　TurboKartクラスのForceメソッドを修正（TurbKart.cs）　　　⬇ list4-16.txt

```
 9 internal class TurboKart
10 {
11      public int weight;  // 重量
12      public int speed;   // 速度
13
14      // アクセルを踏むメソッド
15      public void Force()
16      {
17          Console.WriteLine("加速or減速");  // 減速機能を追加
18      }
19
20      // ブーストするメソッド
21      public void Turbo()
22      {
23          Console.WriteLine("ブースト！");
24      }
25 }
```

　今回は用意したカートがSkyKartとTurboKartの2種類なので、Forceメソッドの書き換えは2箇所だけでした。しかし、カートのクラスが40種類あった場合、全てのForceメソッドを1つずつ修正することになり、とても大変そうです。

　なぜ修正箇所が増えてしまったのかを考えてみましょう。SkyKartクラスとTurboKartクラスをそれぞれ一から作ることにより、まったく同じメンバ（weight変数、speed変数、Forceメソッド）を2回作ることになりました。さらに、共通機能であるForceメソッドを変更することになったので、同じ修正がカートの種類だけ必要となりました。これでは、カートの種類が増えてクラスが増えれば増えるほど共通機能の修正も広がってしまいますね。

Fig　カートが増えれば増えるほど修正範囲が広がる

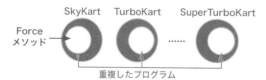

^{step} 03 継承を使ってカートを作り直そう

継承を使うことで、「重複したプログラムの修正が大変」という問題を解決できます。2種類の
カートを、継承を使って作り直しましょう。

今回は、先ほど作ったSkyKartクラスとTurboKartクラスの共通部分を取り出したKartクラスを
作り、それを継承してSkyKartクラスとTurboKartクラスを作り直します。

新しくKartクラスを追加しましょう。ソリューションエクスプローラーのKartGameの上で右
クリックして追加→新しい項目を選択します（macOSの場合はソリューションのKartGameの上
で右クリックして、追加→新しいクラスを選択します）。

Fig Kartクラスの追加①

新しい項目の追加画面が開くので、名前を「Kart.cs」と入力して追加ボタンをクリックしてくだ
さい（macOSの場合は新しいファイル画面の左側から全般を選択し、中央から空のクラスを選択、
名前をKartと入力して作成ボタンをクリックしてください）。

Fig Kartクラスの追加②

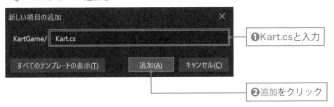

Kart.csファイルが追加されたら、List 4-17のプログラムを入力してください（macOSの場合はコンストラクタ「public Kart(){}」を削除してから入力してください）。

Kartクラスでは、カートの重量（weight）と速度（speed）を表すメンバ変数と、加速（Force）するメンバメソッドを作成しています。また、SkyKart（SkyKart.cs）とTurboKart（TurboKart.cs）はKartクラスを継承するように書き換えます。それぞれ、List 4-18とList 4-19のプログラムを入力してください。

List 4-17　Kartクラスの作成（Kart.cs）　　　　　　　　　　　　　　　　　　⬇ list4-17.txt

```
 9 internal class Kart
10 {
11     public int weight;  // 重量
12     public int speed;   // 速度
13
14     // アクセルを踏むメソッド
15     public void Force()
16     {
17         Console.WriteLine("加速");
18     }
19 }
```

List 4-18　継承を使ってSkyKartクラスを作成（SkyKart.cs）　　　　　　　　　⬇ list4-18.txt

```
 7 namespace KartGame
 8 {
 9     // Kartクラスを継承してSkyKartクラスを作る
10     internal class SkyKart : Kart
11     {
12         // 離陸するメソッドのみ追加
13         public void Flying()
14         {
15             Console.WriteLine("離陸！");
16         }
17     }
18 }
```

156

```
 7 namespace KartGame
 8 {
 9     // Kartクラスを継承してTurboKartクラスを作る
10     internal class TurboKart : Kart
11     {
12         // ブーストするメソッドのみ追加
13         public void Turbo()
14         {
15             Console.WriteLine("ブースト!");
16         }
17     }
18 }
```

2つのカートを確認するために、Program.csは次のように書きます。

List 4-20　SkyKartクラスとTurboKartクラスを使用（Program.cs）　　　　　⬇ list4-20.txt

```
1 using KartGame;
2
3 SkyKart skyKart = new SkyKart();
4 TurboKart turboKart = new TurboKart();
5
6 skyKart.Force();
7 skyKart.Flying();
8 turboKart.Force();
9 turboKart.Turbo();
```

▼実行結果

```
加速
離陸!
加速
ブースト!
```

4

4-4
▼
継承〜プログラムの重複を避ける仕組み〜

157

継承は「クラス間で重複している部分を取り出して新しくクラスを作り、プログラムの重複をなくす仕組み」です。今回、SkyKartクラスとTurboKartクラスで重複している部分は次のようになります。

Fig　クラス間で重複する部分

SkyKartクラス	TurboKartクラス	
weight	weight	
speed	speed	重複している部分
Force()	Force()	
Flying()	Turbo()	固有の部分

今回は2つのクラスで重複しているweight変数とspeed変数、Forceメソッドを取り出して新しくKartクラスを作っています（Kart.cs）。

List 4-18とList 4-19では、Kartクラスの機能を引き継いでSkyKartクラスとTurboKartクラスを作っています。既存のクラスの機能を引き継いで新しいクラスを作ることを継承と呼び、継承元のクラスを基本クラス、継承したクラスを派生クラスと呼びます。今回の例ではKartクラスが「基本クラス」、SkyKartクラスとTurboKartクラスが「派生クラス」になります。継承関係を図示するときは、上側に基本クラス、下側に派生クラスを書いて派生クラスから基本クラスへ向かう矢印で結びます。

Fig　基本クラスの機能が派生クラスに「継承」される

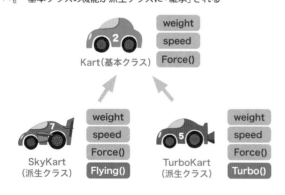

派生クラスは、基本クラスが持っているメンバ変数やメンバメソッドを引き継ぎます。したがって、Kartクラスを継承したSkyKartクラスやTurboKartクラスは、基本クラスのKartが持つweightやspeedのメンバ変数、Forceのメンバメソッドを持っています。

基本クラスを継承して派生クラスを作る書き方は次のようになります。派生クラスの名前と基本クラスの名前を「:」で繋ぎます。

書 式　継承を使ったクラスの書き方

```
class 派生クラス名  :  基本クラス名
{
}
```

List 4-18では「internal class SkyKart」に続けて「: Kart」と書くことで、SkyKartクラスがKartクラスを継承しています（10行目）。続く13行目〜16行目ではFlyingメソッドを追加しています。TurboKartクラスについても同じようにKartクラスを継承し、Truboメソッドを追加しています。

Kartクラスを継承してSkyKartとTurboKartのクラスを作ったことで、各クラスには固有のメソッドのみを書けばよく、継承を使わない場合よりもプログラムがスッキリ書けました。

サンプルファイル ▶ list\chapter4\list4-21.txt

step 04 継承を使ったクラスに減速機能を追加してみよう

継承を使ってクラスを作り直したところで、もう一度、Forceメソッドに減速機能を追加することになった場合を考えてみましょう。SkyKartクラスとTurboKartクラスはKartクラスを継承しているので、減速機能を追加するときの修正点はKartクラスの次の1行だけです。実際に入力してみてください。

List 4-21　Kartクラスに減速機能を追加（Kart.cs）　　　　　　　　　　　　 list4-21.txt

```
 9 internal class Kart
10 {
11     public int weight;  // 重量
12     public int speed;   // 速度
13
14     // アクセルを踏むメソッド
15     public void Force()
16     {
17         Console.WriteLine("加速or減速");  // 減速機能を追加
18     }
19 }
```

Kartクラスの修正が終わったら実行してみてください。結果は次のようになります。プログラムを1箇所変更しただけで、全てのカートの挙動が修正されました。

```
加速or減速
離陸！
加速or減速
ブースト！
```

 ## 基本クラスの修正・変更が派生クラスにも反映される

修正が必要なForceメソッドは継承元のKartクラスに持たせたので、Kartクラスを修正するだけでSkyKartクラスとTurboKartクラスにも修正が反映されます。もし、Kartクラスの他に40種類のカートを用意したとしても、Kartクラスを継承して他のカートを作っていれば、Kartクラスのforceメソッドを修正するだけで全てのカートに修正が反映できます。

Fig　基本クラスの修正が派生クラスに反映される

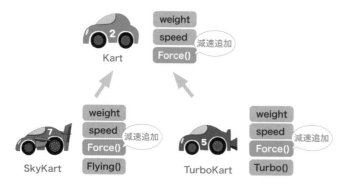

 ## 継承は何段階でもできる

今回はKartクラスを継承してSkyKartクラスとTurboKartクラスを作りました。TurboKartクラスをさらに継承して、ターボ機能を強化したSuperTurboKartクラスのような派生クラスを作ることもできます。このように、クラスは何段階でも継承できます。

📻 継承とアクセス修飾子

アクセス修飾子の説明のとき、後回しにしたprotectedというキーワードがありました。ここで改めて、protectedを含めた、よく使う3つのアクセス修飾子について説明します。

次の表は、継承とアクセス修飾子の関係を表しています。

Table アクセス修飾子の役割

基本クラスの アクセス修飾子	基本クラス自身の アクセス	派生クラスからの アクセス	外部クラスからの アクセス
public	○	○	○
protected	○	○	×
private	○	×	×

基本クラスでpublicと宣言したメンバは、派生クラスはもちろん、外部クラスからも使用できます。このように、publicは「誰にでもオープン」な修飾子です。

一方、基本クラスでprivateを付けて宣言したメンバは、派生クラスからも外部クラスからもアクセスできません。privateは「自分だけの秘密」な修飾子です。

publicとprivateの折衷案として、protectedというキーワードがあります。protectedは、派生クラスからはアクセスできるけれども外部クラスからはアクセスできない「身内にはオープン、他人には秘密」な修飾子です。

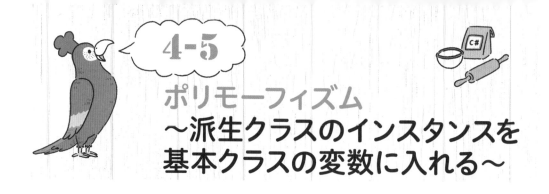

4-5

ポリモーフィズム
～派生クラスのインスタンスを
基本クラスの変数に入れる～

クラスの便利機能3つ目はポリモーフィズム（多態性）です。ポリモーフィズムを使うことによる利点は何なのか、前節で作ったレースゲームを拡張しながら学んでいきましょう。

まずは、ポリモーフィズムを理解するために必要なメソッドオーバーライドを紹介します。

サンプルファイル ▶ list¥chapter4¥list4-22.txt～list4-24.txt

Step 01 メソッドオーバーライドを使う

ここでは前章で作ったレースゲームにクラクションの機能を追加します。

クラクションを鳴らす機能は全てのカートに持たせます。ただし、飛行カートは「ピピーッ」、ターボカートは「ビービー」と違う音を鳴らします。

飛行カートとターボカートはカートクラスを継承して作っているので、カートクラスにクラクションを鳴らすHornメソッドを作ります。すると飛行カートとターボカートクラスでもHornメソッドを使えるようになりますね。ただ、継承しただけだと飛行カートもターボカートも同じ音のクラクションしか鳴らせません。

Fig　Hornメソッドを継承する

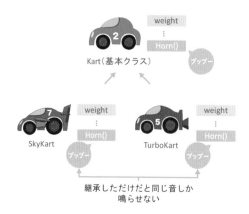

継承しただけだと同じ音しか
鳴らせない

そこで、継承したメソッドの中身を派生クラスで書き換えられるメソッドオーバーライドという仕組みを使って、先ほどのレースゲームにクラクションの機能を追加します。KartクラスにList 4-22、SkyKartクラスにList 4-23、TurboKartクラスにList 4-24を入力してください。

List 4-22　Hornメソッドを追加（Kart.cs） ⬇ list4-22.txt

```
 9 internal class Kart
10 {
11     public int weight; // 重量
12     public int speed;  // 速度
13
14     // アクセルを踏むメソッド
15     public void Force()
16     {
17         Console.WriteLine("加速or減速");  // 減速機能を追加
18     }
19
20     // クラクションを鳴らす
21     public virtual void Horn()
22     {
23         Console.WriteLine("ブッブー");
24     }
25 }
```

List 4-23　Hornメソッドをオーバーライドする（SkyKart.cs） ⬇ list4-23.txt

```
 7 namespace KartGame
 8 {
 9     // Kartクラスを継承してSkyKartクラスを作る
10     internal class SkyKart : Kart
11     {
12         // 離陸するメソッドのみ追加
13         public void Flying()
14         {
15             Console.WriteLine("離陸!");
16         }
17
18         // Hornメソッドをオーバーライドする
19         public override void Horn()
20         {
21             Console.WriteLine("ピピーッ");
22         }
23     }
24 }
```

```
 7  namespace KartGame
 8  {
 9      // Kartクラスを継承してTurboKartクラスを作る
10      internal class TurboKart : Kart
11      {
12          // ブーストするメソッドのみ追加
13          public void Turbo()
14          {
15              Console.WriteLine("ブースト!");
16          }
17
18          // Hornメソッドをオーバーライドする
19          public override void Horn()
20          {
21              Console.WriteLine("ビービー");
22          }
23      }
24  }
```

 (解説) メソッドオーバーライド

　基本クラスから継承したメソッドの処理内容が、派生クラスごとに微妙に違うということはよくあります。この場合に便利なのがメソッドオーバーライドです。メソッドオーバーライドを使えば、基本クラスから継承したメソッドを派生クラスで定義し直すことができます。

　KartクラスではHornメソッドを定義し、その中で「ブーブー」とクラクションを鳴らしています。派生クラスでこのHornメソッドをオーバーライドして、SkyKartクラスでは「ピピーッ」、TurboKartクラスでは「ビービー」と鳴らしています。

Fig　Hornメソッドをオーバーライドする

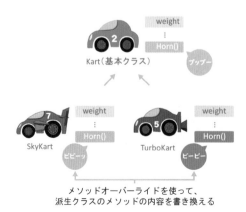

メソッドオーバーライドを使って、
派生クラスのメソッドの内容を書き換える

メリットをオーバーライドするためには、基本クラス（Kartクラス）のHornメソッドにvirtualキーワードを付けます。

　派生クラス（SkyKartクラスとTurboKartクラス）では、Hornメソッドをオーバーライドするために、overrideキーワードを付けて独自のクラクションを定義し直しています。

　基本クラスのメソッドを派生クラスで定義し直す（メソッドオーバーライド）には、次の3点を満たす必要があります。

- ▶ **基本クラスのメソッドにvirtualキーワードを付ける**
- ▶ **派生クラスのメソッドにoverrideキーワードを付ける**
- ▶ **メソッド名や引数、戻り値の型は一致している必要がある**

書式 オーバーライドされる基本クラスのメソッドの書き方

```
virtual  戻り値の型  メソッド名(引数)
{
    メソッドの処理内容
}
```

書式 オーバーライドする派生クラスのメソッドの書き方

```
override  戻り値の型  メソッド名(引数)
{
    メソッドの処理内容
}
```

Point!

メソッドオーバーライド
基本クラスから継承したメソッドを派生クラスで書き換えることです。

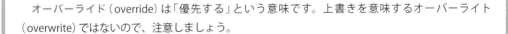

overrideの意味

　オーバーライド（override）は「優先する」という意味です。上書きを意味するオーバーライト（overwrite）ではないので、注意しましょう。

ₛₜₑₚ 02 ポリモーフィズムを使う

　メソッドオーバーライドについてわかったところで、次はポリモーフィズムについて学びましょう。SkyKartやTurboKartは別々のクラスなので、SkyKartのインスタンスはSkyKart型、TurboKartのインスタンスはTurboKart型の変数に代入しました（List 4-20）。

```
SkyKart skyKart = new SkyKart();
TurboKart turboKart = new TurboKart();
```

　今回はカートが2種類だけなので問題ありませんが、カートの種類が増えるにつれて、変数の管理が大変になりそうです。

　C#では、派生クラスのインスタンスを基本クラスの変数に代入できます。今回の場合、SkyKartクラスとTurboKartクラスはKartクラスを継承しているため、それぞれのインスタンスは次のようにKart型の変数に代入できます。

```
Kart skyKart = new SkyKart();
Kart turboKart = new TurboKart();
```

　これと同様に、Kart型の配列にもSkyKartクラスとTurboKartクラスのインスタンスを代入することができます。

```
Kart[] karts = new Kart[2];
karts[0] = new SkyKart();
karts[1] = new TurboKart();
```

　それでは実際にプログラムを作ってクラクションを鳴らしてみましょう。

List 4-25　クラクションを鳴らす（Program.cs）　　　　　　　　　　　　　　　📥 list.4-25.txt

```
 1 using KartGame;
 2
 3 Kart[] karts = new Kart[2];
 4
 5 // インスタンスを生成する
 6 karts[0] = new SkyKart();
 7 karts[1] = new TurboKart();
 8
 9 // クラクションを鳴らす
10 for (int i = 0;  i < karts.Length; i++)
```

```
11  {
12      karts[i].Horn();
13  }
```

▼実行結果

```
ピピーッ
ビービー
```

ポリモーフィズム

　6行目と7行目では、SkyKartクラスとTurboKartクラスのインスタンスを作成し、それをKartクラスの配列に代入しています。10行目〜13行目ではHornメソッドを呼び出してクラクションを鳴らしています。実行結果を見ると、カートごとに違う音が鳴っています。

　このように、**基本クラスの変数に派生クラスのインスタンスを代入すると、基本クラスのメソッドではなく代入したインスタンスのクラスのメソッドが呼び出されます**。これをポリモーフィズムと呼びます。

　ただ、オーバーライドに必要なvirtualとoverrideのキーワードを付け忘れると、Kartクラスの変数に入れたインスタンスが派生クラスであっても、Kartクラスのメソッドが呼び出されるようになります。見つけにくいバグにつながるので注意してください。

抽象クラスと抽象メソッド

　基本クラスを作るとき、メソッドの処理は派生クラスで実装することを前提とした、中身のないメソッドを定義できます。このようなメソッドを抽象メソッドと呼びます。また抽象メソッドを1つ以上持つクラスを抽象クラスと呼びます。

　抽象クラスは継承して使うことが前提なので、インスタンスを生成してほしくありません。よって、抽象クラスを作るときにはabstract（抽象）キーワードを付けることで、インスタンスを生成できないようにします。

　また抽象メソッドは、継承したクラスで忘れずに処理の中身を実装しなくてはいけないので、抽象メソッドを定義するときはabstractキーワードを付けます。これにより、継承クラスで抽象メソッドの中身を実装しないとエラーが出ます。

　次のプログラムは抽象クラスとして作ったEnemyクラスです。抽象メソッドMoveは、メソッド名・返り値の型・引数だけを定義しています。

```
abstract class Enemy
{
    public abstract void Move();
}
```

次のプログラムはEnemyクラスを継承したMonsterクラスです。Moveメソッドの中身を実装するため、overrideキーワードを使って定義し直しています。

```
class Monster : Enemy
{
    public override void Move()
    {
        Console.WriteLine("突進");
    }
}
```

Chapter 4 のまとめ

　4章では、オブジェクト指向とは「プログラムをモノ単位でクラスにする」考え方であることを学習しました。また、クラスとインスタンスの関係や、クラスの便利な機能を3つ（カプセル化、継承、ポリモーフィズム）学びました。次章では、C#の文法をもう少し掘り下げて説明します。

Chapter 5

C# 応用編

5章では、より踏み込んだC#の文法について説明します。ここで紹介するコレクションや LINQは、知っておくとプログラムをより簡潔に書ける便利なものです。また、大規模なプロ グラムや複数人でプログラムを作るときに役立つ名前空間とusingディレクティブについても 説明します。

5-1

コレクションでデータを まとめて扱う

配列と同じくデータをまとめて扱う方法に、**コレクション**という仕組みがあります。コレクションは、配列よりも柔軟にデータの追加や削除ができます。コレクションには配列と似たようなList型や、2つのデータを一組にして格納できるDictionary型、また、Stack型やQueue型など、データの特徴によって異なる型が用意されています。

 ## List型でデータを扱う

要素数を何個にするか決まらない場合や、後からユーザーに要素を追加してもらう可能性がある場合は、長さが固定の配列よりList型が便利です。例題を通してList型の使い方を学んでいきましょう。

ここでの練習用プロジェクトは、3章で作成した「Example」を使います。既存のプロジェクトを開くにはVisual Studioの起動画面で**プロジェクトやソリューションを開く**を選択するか、メニューバーの**ファイル→開く→プロジェクト/ソリューション**を選択してください（macOSの場合は起動画面で開くを選択するか、メニューバーから**ファイル→開く**を選択してください）。

Fig プロジェクトを開く①

プロジェクトやソリューションを開くを選択

「プロジェクト/ソリューションを開く」画面でExampleフォルダの中にあるExample.slnを選択し、開くボタンをクリックしてください（macOSの場合も、開いた画面からExampleフォルダのExample.slnを選択し、開くボタンをクリックしてください）。

Fig　プロジェクトを開く②

❶Example.slnを選択

❷開くをクリック

サンプルファイル ▶ list¥chapter5¥list5-1.txt

Step 01　Listに体重データを追加しよう

毎日の体重を記録するアプリを作ることにします。これまで学んだ知識で考えると、多くのデータを扱うので配列が使えそうです。しかし、体重データを毎日管理するのであれば、データは1日ずつ増えていきます。日々のデータを全て保存するためには要素が7個や14個では足りなさそうですね。では100個あれば大丈夫でしょうか？　それとも365個？　このように、プログラムを作る段階では要素数が決まらないこともあります。

Fig　いくつ要素を準備すればいいのかわからない

このような場合、要素数を決めて使う配列よりも、後から要素を追加したり削除したりできるList型が便利です。

　次のプログラムは、1週間ぶんの体重をList型の変数に入れてから表示しています。実際にプログラムを入力してみましょう。

List 5-1　Listの使用例　　　　　　　　　　　　　　　　　　　　　　　　⬇ list5-1.txt

```
 1  // List型の変数を作る
 2  List<float> weights = new List<float>();
 3
 4  // Listに要素を追加する
 5  weights.Add(41.2f);
 6  weights.Add(42.5f);
 7  weights.Add(44.9f);
 8  weights.Add(43.2f);
 9  weights.Add(43.2f);
10  weights.Add(42.7f);
11  weights.Add(41.7f);
12
13  // Listの要素を全て表示する
14  for (int i = 0; i < weights.Count; i++)
15  {
16      Console.WriteLine(weights[i]);
17  }
```

▼ 実行結果

```
41.2
42.5
44.9
43.2
43.2
42.7
41.7
```

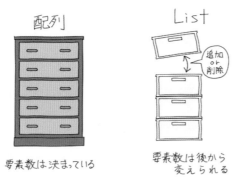

Listを使ってみる

配列の場合は、最初に配列の要素数を決めたら、それ以降は要素数を変更できませんでした。一方でListは、必要に応じて後から要素を追加できます。配列が段数の決まったタンスだとすると、Listは後から拡張できる収納ケースのようなものです。

Fig　配列とListの違い

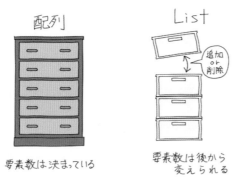

List型の変数を初期化する書式は次の通りで、<>内の型名の部分にはListに代入する値の型を書きます。また、Listや後で紹介するDictionaryは配列と同様、宣言するだけでは使用できません。new演算子を使ってListを使う準備をする必要があります。

書式　List型の変数を作る

```
List<型名> 変数名 = new List<型名>();
```

2行目でList<float>型のweights変数を作成しています。ここではListに小数点を含む体重データを入れるので、型名にfloat型を指定しています。続いて、5行目〜11行目では、Addメソッドを使ってListに要素を1つずつ追加しています。

Addメソッドで要素を追加するには、Addに続く()内に追加する値を書きます。

書式　Listに要素を追加する

```
変数名.Add(追加する値);
```

要素を追加すると、Listの最後尾にデータが追加され、リストの長さが伸びます。

Fig　AddメソッドでListに要素を追加する

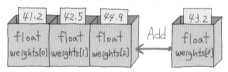

14行目～17行目では、for文を使って全ての要素の値を表示しています。Listのインデックスは、配列と同様に「0」から始まるため、ループ変数を「0」で初期化しています。配列の要素数は「変数名.Length」で取得できましたが、Listの要素数は「変数名.Count」で取得します。Listと配列では要素数の取得方法が違うことを覚えておきましょう。

Point!

Listの特徴
Listでは、後から必要に応じて要素を追加することができます。

✏️ 練習問題 5-1

List<string>型のnames変数を作成し、何人か名前を登録して表示してください。

※練習問題の解答例はサポートページ（https://isbn2.sbcr.jp/23173/）からダウンロードできます。

step 02 Listから体重データを削除しよう

体重データを見返してみると、3日目の体重データが軽すぎることに気づきました。どうやら、人間ではなく猫が体重計に乗ったため変なデータになってしまったようです。

Fig おかしなデータを修正したい・・・

おかしなデータだけを消しましょう。Listでデータを管理していれば、次のプログラムのように簡単にデータを削除できます。入力してみてください。

List 5-2 Listからデータを削除する　　　　　　　　　　　　　　　　　　　　　⬇ list5-2.txt

```
 1 // List型の変数を作る
 2 List<float> weights = new List<float>();
 3
 4 // Listに要素を追加する
 5 weights.Add(41.2f);
 6 weights.Add(42.5f);
 7 weights.Add(3.2f);
 8 weights.Add(43.2f);
 9 weights.Add(43.2f);
10 weights.Add(42.7f);
11 weights.Add(41.7f);
12
13 // Listの先頭から3番目の要素を削除する
14 weights.RemoveAt(2);
15
16 // Listの要素を全て表示する
17 for (int i = 0; i < weights.Count; i++)
18 {
19     Console.WriteLine(weights[i]);
20 }
```

▼実行結果

```
41.2
42.5
43.2
43.2
42.7
41.7
```

 (解説) **Listから要素を削除する**

このプログラムではList<float>型のweights変数を作成し、5行目〜11行目でデータ (要素) を追加しています。そして、Listの3番目に格納されているおかしなデータを取り除くため、RemoveAtメソッドを使っています (14行目)。

RemoveAtに続く ( ) 内にインデックスを書くと、指定したインデックスの要素がListから削除されます。14行目では「2」を指定することでインデックスが2番目 (3日目のデータ) を削除しています。削除した要素より後ろの要素は1つずつ前に詰まります。

書式 **Listから要素を削除する**

```
変数名.RemoveAt (インデックス);
```

Fig **Listから要素を削除する**

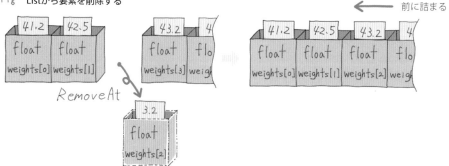

特定の値を消したい場合

Listから特定の値を消したい場合には、Removeメソッドを使います。Removeメソッドの後に続く ( ) に消したい値を指定することで、その値を持つ要素を削除できます。もし同じ値を持つ要素が複数あった場合、インデックスが一番小さい要素が削除されます。

step 03　体重を軽い順に並べ替えよう

　　ListにはAddメソッドやRemoveAtメソッドだけではなく、他にも便利なメソッドが用意されています。例を1つ見てみましょう。List 5-3は1週間ぶんの体重データの中から、ベスト3（体重の軽かった3日）を出力するプログラムです。

　　Listでは**ソート**と呼ばれる機能を使うことができます。ソートは日本語でいう「並べ替え」で、この機能を使うとList内のデータを順番に並べ替えることができます。

　　では、次のプログラムを入力してみましょう。

List 5-3　Listのデータを小さい順に並べる　　　　　　　　　　　　　　　　　　　　⬇ list5-3.txt

```
 1  // List型の変数を作る
 2  List<float> weights = new List<float>();
 3
 4  // Listに要素を追加する
 5  weights.Add(41.2f);
 6  weights.Add(42.5f);
 7  weights.Add(44.9f);
 8  weights.Add(43.2f);
 9  weights.Add(43.2f);
10  weights.Add(42.7f);
11  weights.Add(41.7f);
12
13  // 体重を小さい順に並べ替える
14  weights.Sort();
15
16  // Listの先頭から3つの要素を表示する
17  for (int i = 0; i < 3; i++)
18  {
19      Console.WriteLine(weights[i]);
20  }
```

▼実行結果

```
41.2
41.7
42.5
```

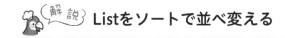

Listをソートで並べ変える

体重の軽い順にベスト3を表示するのは、次の手順で実現できます。

❶Listの体重データを昇順でソートする
❷ソートされたListの先頭から3つのデータを表示する

14行目でSortメソッドを使ってListを値の小さなものから大きなものへと並べ替えていきます。

書式 Listをソートする

```
変数名.Sort();
```

値を小さいものから大きいものへと並べることを「昇順」、大きいものから小さいものへと並べることを「降順」と呼びます。

Sortメソッドで並べ替えたときの順番は、int型やfloat型などの数値なら小さい順、string型やchar型の英数字ならabc順になります。

Fig　Listを昇順にソートしたときの順番

43	ソート	11
29	→	29
11		33
78		43
33		78

Eclair	ソート	Donut
KitKat	→	Eclair
Donut		JellyBean
JellyBean		KitKat
Lollipop		Lollipop

数値の場合　　　　　英数字の場合

今回の場合はfloat型なので、「41.2, 41.7, 42.5, 42.7, 43.2, 43.2, 44.9」と数値の小さい順に並びます。軽い体重トップ3を表示するため、17行目〜20行目で、Listの先頭から3つの要素を表示しています。

Listで使えるメソッド

Listで使える便利なメソッドには、次の表のようなものがあります。メソッドの種類によっては、メソッド名の後ろに続く（）の中に必要な値を指定します。

Table　Listのメソッド

メソッド名	役割
Add（追加する値）	最後尾に要素を追加
Insert（追加位置，追加する値）	指定した位置に要素を挿入
Remove（削除する値）	指定した値の要素を削除
RemoveAt（削除するインデックス）	指定したインデックスの要素を削除
Clear()	全ての要素を削除
IndexOf（検索する値）	要素の位置を検索
Contains（検索する値）	要素の有無を調べる
Sort()	Listを昇順に並べ替える
Reverse()	Listを逆順に並べ替える

練習問題 5-2

List 5-3を書き換えて、1週間ぶんの体重データの中からワースト3（体重の重かった3日）を出力してみましょう。

サンプルファイル ▶ list¥chapter5¥list5-4.txt

step 04 Dictionary型でデータを扱う

コレクションの代表的な型には、Listの他にDictionaryがあります。ここではDictionary型の変数を使って日付と体重データを結び付けて管理してみましょう。

List 5-4　Dictionaryの使用例　　　　　　　　　　　　　　　　　　　　　　⬇ list5-4.txt

```
1 // Dictionary型の変数を作る
2 Dictionary<string, float> weights =
3     new Dictionary<string, float>();
4
5 // 日付と体重がペアになった要素を追加する
6 weights.Add("2023/12/10", 41.2f);
7 weights.Add("2023/12/11", 42.5f);
8 weights.Add("2023/12/12", 44.9f);
```

```
 9  weights.Add("2023/12/13", 43.2f);
10  weights.Add("2023/12/14", 43.2f);
11  weights.Add("2023/12/15", 42.7f);
12  weights.Add("2023/12/16", 41.7f);
13
14  // 2023/12/13の体重を表示する
15  Console.WriteLine(weights["2023/12/13"]);
```

▼実行結果

```
43.2
```

Dictionaryを使ってみる

Listは要素の箱1つにつき1つのデータを格納しました。これに対しDictionaryは要素の箱に**キー**
と値のペアでデータを格納します。氏名と電話番号、郵便番号と住所、アイテム名とその値段な
ど、2つで一組にしてデータを格納したい場合にDictionaryは重宝します。

Fig　**Dictionaryは値をペアで格納する**

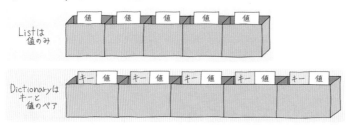

　2行目から3行目でDictionary型の変数を宣言しています。Listを宣言するときは<>の中に保存
する値の型名1つを書きましたが、Dictionaryの場合は**<>の中にキーと値2つの型名**を書きます。こ
こでは、キーである日付をstring型、値である体重データをfloat型で宣言しています。

書式　**Dictionary型の変数を作る**

```
Dictionary<キーの型, 値の型> 変数名 = new Dictionary<キーの型, 値の型>();
```

　6行目〜12行目では、weights変数に日付と体重データをペアで追加しています。Dictionary型
の変数に値を追加するには、Listの場合と同じように**Addメソッド**を使います。Listの場合は()の
中に値だけを書きましたが、Dictionaryの場合は**キーと値をペア**で書きます。

| 書式 | Dictionaryに要素を追加する |

```
変数名.Add(キー, 値);
```

また、次のように書くことでキーに対応する値を取り出せます。

| 書式 | Dictionaryからキーに対応する値を取得する |

```
変数名[キー]
```

15行目では「weights["2023/12/13"]」と書くことで、2023年12月13日の体重データ（43.2kg）を取り出しています。

Point!

Dictionaryはキーと値をペアで管理
Dictionaryではキーと値のペアでデータを管理します。キーを指定することで、ペアになっている値を取得できます。

✏️ **練習問題 5-3**

Dictionaryを使って次の表のような電話帳を作り、山田さんの電話番号を表示するプログラムを作ってください。

```
山田      000-123-4563
小山田    000-469-2488
山本      000-312-7721
```

 その他のコレクション

　コレクションには、ListやDictionary以外にもStackやQueueなどがあります。StackとQueueはどちらもPushでデータを追加してPopでデータを取り出すことができますが、Stackは、最後に追加したデータから順番に値を取り出します。一方、Queueは最初に追加したデータから順番に値を取り出します。

Fig　StackとQueue

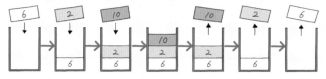

LINQとラムダ式

LINQ（リンク）はC#3.0のバージョンから導入された仕組みで、配列やコレクションに格納されているデータをとても簡単に整理できます。例えば、配列中のデータから特定の条件を満たすデータを取り出したり、配列中のデータ1つひとつに処理を施したりといった、自分で書くと複雑になる処理がLINQを使うと数行で書けるようになります。

LINQを使うには、処理条件などを指定するためにラムダ式と呼ばれる式を使います。LINQを使う前に、ラムダ式の書き方から紹介していきます。

 ## ラムダ式とは

ラムダ式は、簡単に言うと「戻り値を返す短いメソッドを、より簡潔に書く方法」です。ラムダ式を書く方法にはいくつかのバリエーションがあるのですが、ここではLINQでよく使われる書き方を紹介します。

♦ 引数が1つのメソッド

どのようにしてラムダ式を作るのか説明していきます。例えば次のように、引数に「5」を足して返すAddメソッドがあったとします。

```
int Add(int n)
{
    return n + 5;
}
```

このメソッドと同じ働きをするものをラムダ式で書くと、次のようになります。

```
n => n + 5
```

通常のメソッドをラムダ式に変換するには、左辺に引数、右辺には戻り値を計算する式、その間に「=>」演算子を書きます。

（引数） => 戻り値の計算式
※引数が1つだけの場合、左辺の()は省略可能

◆ 引数が2つのメソッド

次に、引数を2つ取る場合の例を見てみましょう。次の例は、2つの引数の合計値を戻り値として返すメソッドです。

```
int Add(int a, int b)
{
    return a + b;
}
```

これをラムダ式で書くと、次のようになります。

```
(a, b) => a + b
```

引数が2つ以上の場合には、引数を「,」で繋いで()で囲みます（引数が0個の場合も()が必要です）。右辺には、戻り値の計算式を書いています。

◆ int型以外の戻り値を持つメソッド

戻り値にはどの型でも指定できます。次の例は、引数の値が0以上なら「true」、そうでなければ「false」を返すメソッドです。

```
bool IsPositive(int n)
{
    return n >= 0;
}
```

これをラムダ式で書くと、次のようになります。

```
n => n >= 0
```

LINQで必要になるラムダ式の知識はこれで十分です。次の節からはラムダ式を用いてLINQの使い方を学んでいきましょう。

ラムダ式

ラムダ式を使うと、戻り値を返す短いメソッドを簡潔に書くことができます。

 # LINQとは

LINQとは「Language INtegrated Query」の略称で、「統合言語クエリ」と訳されます。

LINQを使えば、配列やコレクションの中から条件を満たす値だけを取り出したり、各データに特定の処理をしたりできます。このときの、データを取り出す条件や処理内容を指定するために、先ほど学んだラムダ式を使います。

ここからは、例題を通してLINQの使い方を学んでいきましょう。

Fig LINQでできること

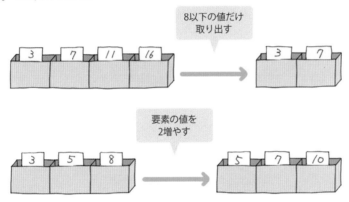

step 01 HPが500以上のモンスターだけを表示しよう

モンスター 5体ぶんのHPが配列に入っているとき、配列の中からHPが「500以上」のモンスターの要素だけを抜き出すにはどうしたらよいでしょうか。次のプログラムはLINQを使わずに書いた例です。

List 5-5a 配列から500以上の要素を取り出す　　　　　　　　　　　　　　　　　　　⬇ list5-5a.txt

```
 1 int[] hp = { 420, 120, 600, 0, 1200 };
 2 List<int> newHP = new List<int>();
 3
 4 for (int i = 0; i < hp.Length; i++)
 5 {
 6     // HPが500以上の場合、新しいリストに追加する
 7     if (hp[i] >= 500)
 8     {
 9         newHP.Add(hp[i]);
10     }
11 }
12
13 // newHPの要素を表示する
14 foreach (int n in newHP)
15 {
16     Console.WriteLine(n);
17 }
```

▼ 実行結果

```
600
1200
```

1行目でモンスター 5体ぶんのHPデータを持つhp配列を作っています。2行目では、HPが500以上の値だけを格納するList型のnewHP変数を作っています。格納する値の個数がわからないので、後から要素を追加できるListを利用しています。

4行目～ 11行目ではhp配列の要素を順番に調べて、値が500以上であればnewHPに追加しています。14行目～ 17行目ではforeach文（93ページのNote参照）を使ってnewHP変数の値を1つずつ取り出してコンソールに出力しています。

186

Fig　HPが500以上のモンスターだけを取り出す

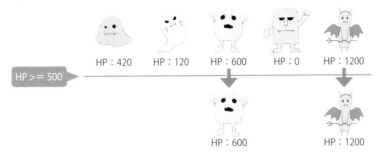

HP : 420　HP : 120　HP : 600　HP : 0　HP : 1200

HP >= 500

HP : 600　HP : 1200

　　次のプログラムはList 5-5aと同じ処理を、LINQを使って書き直したものです（実行結果は同じ
です）。先ほどのプログラムと比べると、LINQを使った方がずいぶん簡潔に書けることがわかると
思います。

List 5-5b　LINQを使って配列から500以上の要素を取り出す　　　　　　　　　　　　⬇ list5-5b.txt

```
 1 int[] hp = { 420, 120, 600, 0, 1200 };
 2
 3 // LINQを使って、HPが500以上の要素を取り出す
 4 var newHP = hp.Where(n => n >= 500);
 5
 6 // newHPの要素を表示する
 7 foreach (int n in newHP)
 8 {
 9     Console.WriteLine(n);
10 }
```

　　実行結果はList 5-5aと同じです。

解説 Whereメソッドで条件に合った要素だけ取り出す

4行目でLINQのWhereメソッドを使っています。Whereは引数に指定したラムダ式の結果が「true」になるものだけを取り出すメソッドです。配列の要素を1つずつラムダ式のふるいにかけ、「true」になるものだけがふるいを通過するイメージです。

Fig Whereメソッドのイメージ

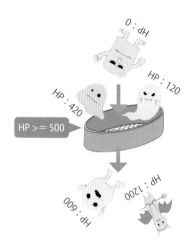

Whereメソッドの書式は次の通りです。

書式 配列やコレクションの中からラムダ式の条件に合うデータだけを取り出す

変数名.Where(ラムダ式)

ここでは、Whereメソッドの引数に「n => n >= 500」というラムダ式を渡しています。ラムダ式の書き方は「引数 => 戻り値の計算式」でしたね。「n => n >= 500」は引数に「n」を取り、「n」が「500以上」なら「true」を返すメソッドと同じ処理となります。その結果、HPが500以上のモンスターだけを取り出すことができます。

Fig LINQのWhereメソッドで値を取り出す

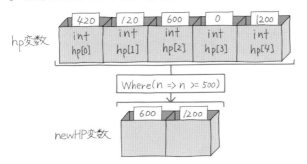

Whereメソッドによって作られたデータは、戻り値として取得できます。その際、戻り値の型はvar型になります（4行目）。var型とは、int型やfloat型のように特定の型を表すものではなく、代入された値によってコンパイラが自動的に型を判断してくれる型です。LINQのメソッドの戻り値は、基本的にvar型で受け取ります。

Point!

LINQ
LINQのメソッドを使えば、配列やコレクションの要素に対する処理を簡潔に記述できます。

5

5-2
▼
LINQとラムダ式

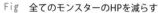

step 02 全体魔法で全てのモンスターのHPを100減らす

LINQを使って処理を簡潔に書く例をもう1つ紹介します。次の例は全体魔法の攻撃で全てのモンスターのHPを「100」ずつ減らすプログラムです。

Fig　全てのモンスターのHPを減らす

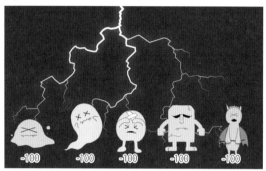

先ほどと同じように、まずはLINQを使わずに書いたプログラムから見ていきます。

List 5-6a　配列中の要素の値を「100」ずつ減らす　　　　　　　　　　　　⬇ list5-6a.txt

```
1  int[] hp = { 550, 420, 600, 800, 220 };
2  List<int> newHP = new List<int>();
3
4  // hp配列の要素から100を引いた値を新しいリストに追加
5  for (int i = 0; i < hp.Length; i++)
6  {
7      newHP.Add(hp[i] - 100);
8  }
9
10 // newHPの要素を表示する
11 foreach (int n in newHP)
12 {
13     Console.WriteLine(n);
14 }
```

▼ 実行結果

```
450
320
500
700
120
```

5行目～8行目では、hp配列の値をそれぞれ「100」減らしてnewHP変数のListに追加し、11行目～14行目でforeach文を使って配列の中身を表示しています。

このプログラムをLINQを使って書き換えると、次のようになります（実行結果は同じです）。

List 5-6b LINQを使って配列中の要素の値を「100」ずつ減らす　　　　　　　　　　　📄 list5-6b.txt

```
1 int[] hp = { 550, 420, 600, 800, 220 };
2
3 // LINQを使って、全ての要素の値を100減らす
4 var newHP = hp.Select(n => n - 100);
5
6 // newHPの要素を表示する
7 foreach (int n in newHP)
8 {
9     Console.WriteLine(n);
10 }
```

(解説) Selectメソッドを使って新しいデータを作る

4行目でLINQの**Selectメソッド**を使っています。Whereメソッドがふるいだったのに対して、Selectメソッドは加工マシンのような働きをします。Selectメソッドは配列やコレクションの要素を1つずつ取り出して、引数に指定したラムダ式の処理を加えます。

Fig　Selectメソッドで配列の要素1つずつに処理を行う

HP：550　HP：420　HP：600　　　　HP：700　HP：120

Selectメソッドの書式は次の通りです。

配列やコレクションのデータにラムダ式の処理を加えて新しいデータを作る

変数名.Select(ラムダ式)

　ここではSelectメソッドの引数に「n => n - 100」というラムダ式を渡しています。このラムダ式は引数に「n」を取り、nの値から「100」を引いた値を返すメソッドと同等です。配列の各要素に対してこのラムダ式の処理を行い、その結果をvar型のnewHP変数に代入しています。

Fig　Selectメソッドで配列の値に処理を行ったうえで結果をまとめる

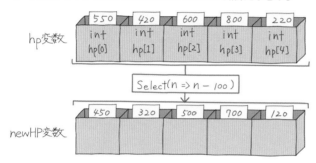

step 03 倒したモンスターの数を数えよう

複数のLINQのメソッドを組み合わせて、体力が「0」のモンスターの数を数えるプログラムを作りましょう。こちらも、まずはLINQを使わずに書いたプログラムから見ていきます。

List 5-7a 配列中から値が「0」の要素を数える　　　　　　　　　　　　　　　　　⬇ list5-7a.txt

```
 1 int[] hp = { 550, 0, 600, 0, 220 };
 2 int num = 0;   // HPが「0」の個体の数をカウントする変数
 3
 4 for (int i = 0; i < hp.Length; i++)
 5 {
 6     // HPが「0」であればnumを「1」増やす
 7     if (hp[i] == 0)
 8     {
 9         num++;
10     }
11 }
12 Console.WriteLine(num);
```

▼実行結果

```
2
```

hp配列の中に、値が「0」の要素がいくつあるかを数えます。2行目で、HPが「0」のモンスターの数をカウントするnum変数を「0」で初期化しています。4行目～11行目で配列の要素を1つずつ見ていき、要素の値が「0」のときにnumの数を「1」増やしています。

Fig　HPが「0」のモンスターの数を数える

HP：550　　HP：0　　HP：600　　HP：0　　HP：220

このプログラムを、LINQを使って書き換えると次のようになります（実行結果は同じになります）。

List 5-7ᵦ　LINQを使って配列中で値が0の要素を数える　⬇ list5-7b.txt

```
1 int[] hp = { 550, 0, 600, 0, 220 };
2
3 // LINQを使ってHPが「0」の要素を取り出し、
4 // その数をnumに代入する
5 int num = hp.Where(n => n == 0).Count();
6
7 Console.WriteLine(num);
```

 (解説) ## Countメソッドを使ってデータ数を調べる

5行目でHPが「0」のモンスターだけを取り出し、その数をカウントしています。
この行は、以下の2行のプログラムを「.」で繋げて1行で書いたものです。

```
var defeatedMonsters = hp.Where(n => n == 0);
int num = defeatedMonsters.Count();
```

1行目は、Whereメソッドの引数に「n => n == 0」というラムダ式を渡しています。このラムダ式は引数nの値が「0」に等しいときに「true」を返すメソッドと同じです。したがって、配列の中から「0」と等しい値だけを取り出し、「{0, 0}」という結果を変数defeatedMonstersに代入します。
2行目は、Whereメソッドの結果に対してLINQのCountメソッドを使って要素数を調べます。Countメソッドの書式は次の通りです。

書式　要素数を取得する

変数名.Count()

ここでは、Whereメソッドでふるいにかけられた後のデータ「{0, 0}」に対してCountメソッドを使うことで、「2」がnum変数に代入されます。

Fig WhereとCountを組み合わせる

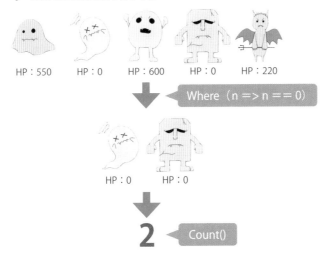

HP : 550　　HP : 0　　HP : 600　　HP : 0　　HP : 220

Where（n => n == 0）

HP : 0　　HP : 0

2　　Count()

　LINQにはWhereやSelect、Countの他にも次の表に示すようなメソッドがあります。これらの
メソッドを組み合わせることで、目的の情報を得る処理を簡潔に書けるようになります。

Table LINQのメソッド

メソッド名	役割
Where(ラムダ式)	条件を満たす要素を全て返す
Select(ラムダ式)	各要素に処理を施して新しいデータを返す
OrderBy(ラムダ式)	昇順に並べ替えたデータを返す
OrderByDescending(ラムダ式)	降順に並べ替えたデータを返す
Distinct()	重複を除いたデータを返す
Max()	最大値を返す
Min()	最小値を返す
Average()	平均値を返す
Sum()	合計値を返す
Count()	要素数を返す
All(ラムダ式)	全ての要素が条件を満たしてるかを判定する
Any(ラムダ式)	条件を満たす要素が含まれているか判定する

練習問題 5-4

　「{ -1, -10, -5, -40, -15 }」の要素を持つ配列を作り、全ての要素の値をそれぞれ10ずつ増やし、
その結果が0以上となる要素の個数を、LINQのメソッドを使って求めてください。

LINQでクラスのインスタンスをソートする

　LINQのOrderByメソッドを使うと、自分で作ったクラスのインスタンス同士を、メンバ変数をもとにソートできます。例えば、社員クラスのインスタンスを評価順にソートしたり、アイテムクラスのインスタンスを値段順にソートしたいときに使います。

　ここでは次のようなPlayerクラスのインスタンスを、体力をもとに昇順にソートする場合を考えます。

```
class Player
{
    public string name;   // 名前
    public int hp;        // 体力

    public Player(string name, int hp)
    {
        this.name = name;
        this.hp = hp;
    }
}
```

　OrderByメソッドはラムダ式を引数にとります。ラムダ式にはソートしたいメンバ変数を指定します。ここではプレイヤーの体力でソートしたいので、ラムダ式を「n => n.hp」としてhpメンバ変数を指定します。

```
List<Player> players = new List<Player>();
players.Add(new Player("一郎", 70));
players.Add(new Player("次郎", 60));
players.Add(new Player("太郎", 100));

// 体力でソートする
var sortPlayers = players.OrderBy(n => n.hp);

foreach (Player player in sortPlayers)
{
    Console.WriteLine(player.name);
}
```

値型と参照型

4章でクラスとインスタンスについて学んだ際、作成したクラスはint型などと同様に「型」として使えると説明しました。ただし、クラスと値型とでは一点だけ大きな違いがあります。本節では、この違いを説明します。

 値型と参照型

C#には、大きく分けて値型と参照型の2種類の「型」があります。値型は変数に直接「値」を代入します。一方、参照型は変数に「値がある場所の情報」を代入します。

Fig　参照型は「場所」を入れる

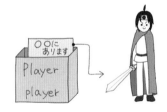

値型にはint型やfloat型、double型、bool型などがあり、参照型のものにはクラスや配列、コレクション、string型などがあります。

Fig　値型と参照型の違い

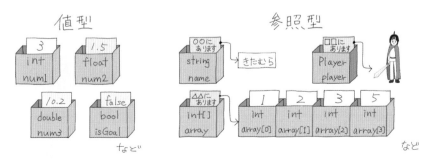

197

変数とインスタンスの関係を確認してみましょう。これまで、参照型は次のように書いてインスタンスを作り、変数に代入しました。

```
float[] weights = new float[7];
List<float> weights = new List<float>();
Player player = new Player();
```

new演算子を使ってインスタンスを生成し、変数に代入していますね。このとき、変数の箱にインスタンスを直接入れているわけではありません。new演算子によって作られたインスタンスはメモリ上のどこかに作られます。変数の箱には、「インスタンスはメモリ上の、あの位置にある」という参照情報が代入されます。

Fig　メモリと参照の関係

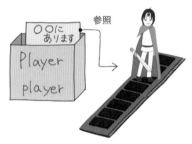

```
Player player = new Player();
```

 ## なぜ参照型が必要なのか？

クラスも配列も文字列も全て箱の中に直接値を入れれば、値型と参照型の違いを気にしなくてすむはずです。なのに、なぜ参照型があるのでしょうか。

参照型に分類される型の特徴は「変数の箱に入れる値のサイズが大きくなる可能性があるもの」です。string型は非常に長い文字列が入るかもしれませんし、配列は膨大な数の要素を持つかもしれません。クラスにしても非常に多くのメンバを持つかもしれません。これだけたくさんの値を変数の箱の中に直接収めていた場合、この変数を別の変数にコピーするだけで結構な時間がかかってしまいます。

Fig　値が多いとコピーが大変

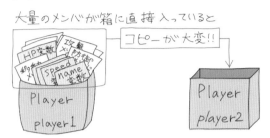

そのため、箱に入れる値のサイズが大きくなる可能性があるものは、値を直接箱に入れるのではなく、参照を介してインスタンスにアクセスするようになっています。変数の中身をコピーするときは参照情報だけをコピーすればよくなるので、時間がかからずにすみます。

Fig　参照だけコピーすればよい

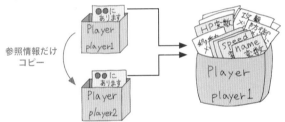

参照情報だけコピー

参照型は効率的にコピーできる一方で、コピー時には注意も必要です。プログラムを書いて確かめてみましょう。

string型も参照型？

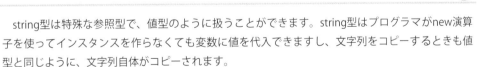

string型は特殊な参照型で、値型のように扱うことができます。string型はプログラマがnew演算子を使ってインスタンスを作らなくても変数に値を代入できますし、文字列をコピーするときも値型と同じように、文字列自体がコピーされます。

5

5-3

▼

値型と参照型

199

step 01 参照型を使うときの注意点

まずは値型の変数同士で値をコピーする場合を確認しましょう。

ここでは、4章で作成したSampleRPGプロジェクトを使います。既存のプロジェクトを開くには、Visual Studioの起動画面でプロジェクトやソリューションを開くを選択するか、メニューバーのファイル→開く→プロジェクト/ソリューションを選択してください（macOSの場合は起動画面で開くを選択するか、メニューバーからファイル→開くを選択してください）。

Fig　プロジェクトを開く①

「プロジェクト/ソリューションを開く」画面で、SampleRPGフォルダにあるSampeRPG.slnファイルを選択し、開くボタンをクリックしてください（macOSの場合も、開いた画面からSampleRPGフォルダのSampleRPG.slnを選択し、開くボタンをクリックしてください）。

Fig　プロジェクトを開く②

SampleRPGプロジェクトが開いたら、Program.csを次のように書き換えて実行してみましょう。

List 5-8 値型の変数同士で値をコピー（Program.cs）　　　　　　　　　　　　　　　　　📥 list5-8.txt

```
1 using SampleRPG;
2
3 int num1 = 35;
4 int num2 = num1;      // num2にnum1の値をコピー
5 Console.WriteLine(num2);
6 num1 = 0;             // num1に「0」を代入
7 Console.WriteLine(num2);
```

▼ 実行結果

```
35
35
```

解説 値型の変数同士で値をコピーしたとき

4行目でnum1変数の値をnum2変数に代入してから、6行目でnum1の値を「0」にしています。値型の変数同士を代入する場合、右辺の変数の中に入っている「値」のコピーが左辺に代入されるので、num1の値を書き換えてもnum2変数が書き換わることはありません。

Fig　値型同士でのコピーの場合

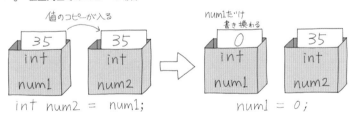

201

step 02 　参照型の変数同士のコピー

次に、参照型の変数同士で値をコピーするとどうなるかを確認しましょう。Playerクラスについ
ては4章で作成したList 4-11のものをそのまま使用します。

Program.csの中身を書き換えます。

List 5-9 　参照型の変数同士で値をコピー（Program.cs）　　　　　　　　　　　⬇ list5-9.txt

```
1 using SampleRPG;
2
3 Player player1 = new Player("たかし",35);
4 Player player2 = new Player("ひろし",100);
5
6 player2 = player1;  // player2にplayer1をコピーする
7 Console.WriteLine(player2.Hp);
8 player1.Hp = 0;     // player1の体力を「0」にする
9 Console.WriteLine(player2.Hp);
```

▼実行結果

```
35
0
```

 解説 　**参照型の変数同士で値をコピーしたとき**

List 5-9の3行目〜4行目でPlayerクラスのインスタンスを作り、player1のhpを「35」、
player2のhpを「100」に設定しています。6行目でplayer2変数にplayer1変数を代入しているの
でplayer1もplayer2もhpは「35」になります。ここまでは納得できると思いますが、8行目で
player1のhpを「0」にすると、なぜかplayer2変数のhpも「0」になっています。この原因を見てみ
ましょう。

次の図は体力が「35」のplayer1と、体力が「100」のplayer2を作成した直後の状態です。

Fig　player1変数とplayer2変数①

続けて、player2変数にplayer1変数を代入した状態が下図になります。このときコピーされるのはplayer1のインスタンスそのものではなく、「player1のインスタンスは○○にあります」という参照情報です。その結果、player1とplayer2は同じインスタンスを参照します。

Fig　player1変数とplayer2変数②

player1変数とplayer2変数が同じインスタンスを参照しているので、8行目でplayer1のhpを「0」に書き換えるとplayer2のhpも「0」に変わるのです。このように、参照型の値をコピーすると値型のような結果にはならないので注意が必要です。

Fig　player1変数とplayer2変数③

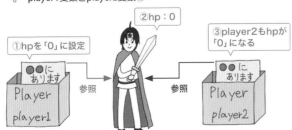

step 03　ref修飾子とout修飾子

メソッドに引数を渡すときも、値型と参照型で結果が変わってくるので注意が必要です。

◆ メソッドの引数と参照型

メソッドに引数を渡す場合、引数の値はコピーして渡されます。そのため、引数に値型を渡したときはメソッド内でその値を書き換えても呼び出し元では変化しません。しかし、メソッドの引数に参照型を渡す場合には、参照情報がコピーされることになり、呼び出し元の変数にも影響を与えます。

どういうことか具体的に見ていきましょう。次のPlayerクラスはhp変数をメンバに持っています。

```
class Player
{
    public int hp;
    public Player(int hp)
    {
        this.hp = hp;
    }
}
```

このPlayerクラスを使った次のようなプログラムを作ると、表示結果はどうなるでしょうか。

```
void Recover(Player player)
{
    player.hp = 100;
}

Player player = new Player(30);
Recover(player);
Console.WriteLine("HP=" + player.hp);   // HP=100と表示される
```

このプログラムでは、PlayerクラスのインスタンスをRecoverメソッドに渡しています。

メソッドの引数に参照型の値を渡した場合、「呼び出し元で渡した変数」と「メソッドが受け取った引数」は同じインスタンスを指しているため、メソッド内で値を書き換えると呼び出し元の変数にも影響を与えます。したがって、Recoverメソッドの中でplayerのhpを書き換えると、呼び出し元で渡したplayerインスタンスのhpも書き換わって「HP=100」と表示されます。

◆ 値型の引数を参照型として渡すには

先ほどのプログラムでは引数に参照型の値を渡して、メソッドの中で値を書き換えました。一方、引数に値型を渡してメソッドの中で書き換えた場合、渡しているのは値のコピーなので呼び出し元の変数の値は変わりません。値型の引数をメソッドの中で書き換えるためには、ref修飾子またはout修飾子を使います。

メソッドを定義するとき引数の前にrefを付けることで、値型の引数を参照渡しすることができます。この場合、メソッドを呼び出すときにも引数の前にrefを付ける必要があることに注意してください。

次のプログラムは引数にref修飾子を使っています。値型の引数を渡していますが、参照型を渡したときと同じように「HP=100」と表示されます（2箇所のref修飾子を外すと値渡しとなり、結果は「HP=30」となります）。

```
void Recover(ref int hp)
{
    hp = 100;
}

int hp = 30;
Recover(ref hp);
Console.WriteLine("HP=" + hp);   // HP=100と表示される
```

out修飾子はref修飾子と同じく参照渡しをするための修飾子です。refの付いた引数には必ず値を入れた変数を渡す必要があります。一方、outの付いた引数の場合、引数に渡す変数にあらかじめ値を代入しておく必要はありません。ただし、メソッドの中で必ず値を代入しなくてはいけません。

ここでは値を代入していないhp変数をInitHpメソッドに渡しているため、実行すると「HP=30」と表示されます。

```
void InitHp(out int hp)
{
    hp = 30;
}

int hp;
InitHp (out hp);
Console.WriteLine("HP=" + hp);   // HP=30と表示される
```

ref修飾子はメソッドに値を渡して書き換えたり修正したりしたい場合に使い、out修飾子はメソッドの中で計算した結果を返してもらうときなどに使います。

🔊 構造体

クラスと似たような仕組みに構造体というものがあります。構造体もクラスと同様、変数とメソッドをまとめる仕組みで、宣言の方法もクラスとほとんど同じです。両者の大きな違いは、クラスが参照型なのに対して構造体が値型という点です。構造体は値型なので、この章で学んだようにコピーに気を使う必要がありません。したがって、クラスにしたいけれども値型のように使用したい場面 (2次元座標を表すPoint型や、ベクトルを表すVector型、色を表すColor型など) で使われることが多いです。

構造体を宣言するには、structを使います。

書 式　**構造体の書き方**

```
struct  構造体名
{
     メンバ変数
     メンバメソッド
}
```

5-4

名前空間と usingディレクティブ

ここではプログラムの先頭に使われている「using」がどんな役割を持っているかを学びます。

 名前空間とは

　多くの人が共同で1つのプロジェクトを作っていると、意図せず同じ名前のクラスができてしまうことがあります。例えば、ゲームのあるステージに出す敵をAさん、また別のステージに出す敵をBさんが手分けして作っているとしましょう。この場合、AさんとBさんどちらも自分の作る敵クラスにEnemyクラスと名前を付けてしまうと、ゲームのプロジェクトの中にEnemyクラスが2つできてしまいます。このように、1つのプロジェクトに同じ名前のクラスが複数できてしまうとエラーが起こります。

　そのような問題を防ぐため、C#には名前空間と呼ばれる仕組みがあります。名前空間は「クラスが属するグループ名」を決めることでクラス同士の衝突を防ぐ仕組みです。

　名前空間を使うには、次のようにクラス自体をnamespace{}で囲みます。

> **書式**　名前空間を使った書き方

```
namespace 名前空間の名称
{
    class クラス名
    {
        クラスの内容
    }
}
```

　Aさんの作るEnemyクラスをStageAという名前空間にして、Bさんの作るEnemyクラスをStageBという名前空間にして書くと次のようになります。

```
namespae StageA
{
    class Enemy
    {
        AさんのEnemy
    }
}

namespae StageB
{
    class Enemy
    {
        BさんのEnemy
    }
}
```

名前空間の中にあるクラスを使うときは「名前空間.クラス名」と書きます。

書式 名前空間の中にあるクラスを使う

```
名前空間.クラス名
```

Aさんの作った敵クラスを使いたい場合は「StageA.Enemy」と書き、Bさんの作った敵クラスを使いたい場合は「StageB.Enemy」と書きます。

```
// Aさんの作った敵を使う
StageA.Enemy enemy = new StageA.Enemy();
```

usingディレクティブ

ただ、Aさんの作ったEnemyクラスを使うたびに毎回「StageA.Enemy」と書くのは少々面倒ですね。そこで、usingディレクティブというものを使います。ファイルの先頭に「using 名前空間;」と書くことで、「名前空間.クラス名」の「名前空間.」を省略できる仕組みです。

書式 名前空間をファイルの先頭に書く

```
using 名前空間;
```

ファイルの先頭に「using StageA;」と書いておくことで、このファイルでEnemyクラスを使うと常にStageAの名前空間のEnemyクラスが使われるようになります。

```
using StageA;

class Game
{
    // Aさんの作った敵を使う
    Enemy enemy = new Enemy();
}
```

SampleRPGのプロジェクトでプログラムを作る際に、Program.csの1行目に「using SampleRPG;」と書いていたのも、SampleRPGの名前空間にあるPlayerクラスを使うためです。

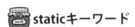 **staticキーワード**

クラスのメンバを定義するときにstaticキーワードを付けることで、そのメンバはインスタンスを作らずに呼び出すことができます。また、staticを付けたメンバは、インスタンスではなくクラス自体に属するようになりインスタンス間で共有される値になります。

例えば次のような社員クラスがあったとします。

```
class Employee
{
    public static string companyName;

    public static string GetCompanyAddress()
    {
        会社の住所を取得する処理
    }
}
```

この場合、companyName変数やGetCompanyAddressメソッドの前にstaticが付いているので、Employeeクラスのメンバを使うときにはインスタンスを作らずに次のように記述できます。

```
Console.WriteLine(Employee.companyName);
Employee.GetCompanyAddress();
```

staticを使うと、どう便利になるのでしょうか。例として、今まで文字列を表示するために使ってきたWriteLineメソッドがあります。このWriteLineメソッドはConsoleクラスにstaticメンバとして定義されています。staticキーワードが付いていないと、文字列を表示する度にわざわざインスタンス

を作る必要があり、次のように少々手間になります。

```
Console console = new Console();
console.WriteLine("文字列を表示");
```

　WriteLineメソッドがConsoleクラスのstaticメンバになっているため、インスタンスを作らずにWriteLineメソッドを呼び出せていたのです。

```
Console.WriteLine("文字列を表示");
```

Chapter 5 の**まとめ**

5章では、C#の応用的な文法について説明しました。コレクションを使った方が便利な場合や、LINQを使うとプログラムが比較的読みやすくなったりすることを学びました。また、ここで紹介した値型と参照型の違いを意識してプログラムを作ることで、見つけにくいバグを事前に防ぐことができます。しっかりと理解しておきましょう。

Chapter6

Windowsアプリケーション
作りの基礎

ここから先の章はWindowsアプリケーションを作っていきます（Windowsアプリケーション
は、WindowsのOSのみで作ることができます）。6章では導入として、Windowsアプリケー
ションを作るために必要な基礎知識を学ぶとともに、ボタンを押すと画面上の文字が変化す
る簡単なアプリケーションを作ります。このアプリケーション作りを通して、Windowsアプ
リケーションの作り方の流れをつかみましょう。

Windowsアプリ作りの概要

5章まではC#の学習を通して、プログラムの結果をコンソール画面に表示するアプリケーション（コンソールアプリ）を作ってきました。ここからは、Windowsのフォームに画像やボタンなどを表示して操作できる、Windowsアプリケーションの作り方を紹介していきます。

Windowsアプリケーションを作るには

ワードやエクセルのような、ボタンやアイコンやテキスト入力部分などがあるWindowsアプリケーションを作るには、「C#の知識」だけではなく、「アプリ画面を作る方法」を覚える必要があります。

Fig　Windowsアプリケーションを作るために必要な知識

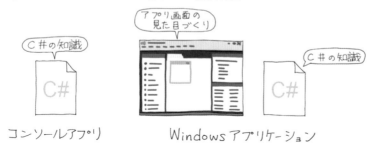

Visual Studioでは、ボタンやテキストボックスなどの部品をアプリの画面にドラッグ＆ドロップで配置できるので、視覚的にアプリの画面を作れます。これまで作ってきたコンソールアプリとは作り方が少し異なるので、あらためて1つずつ理解しながら進みましょう。

Windowsアプリケーションが動く流れ

アプリ画面の作り方を学ぶ前に、Windowsアプリケーションが動作するときの流れを確認しておきましょう。この流れを知っておくと、アプリケーションをどのように作っていくかイメージする手助けになります。

Windowsアプリケーションの動作は基本的に、「画面上の入力を受けて」「プログラムで処理して」「画面に表示する」という流れになります。

Windowsアプリケーションの動作

❶ ユーザーからの入力を受け付ける

❷ 入力に応じて処理（プログラム）を実行する

❸ 処理結果に応じて画面の表示を更新する

例えば電卓アプリでは、次のような流れになります。

❶数式が入力されると

❷入力された数式をプログラムで計算して

❸計算結果を画面に表示する

Fig　電卓アプリの動作の流れ

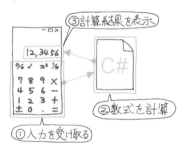

また、エクセル（グラフを作成する場合）では、次のような流れになります。

❶行列を選択してグラフ作成ボタンが押されると

❷選択された行列のグラフの作成処理をして

❸画面にグラフを描画する

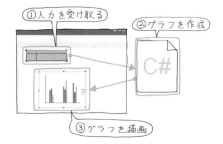

このように、Windowsアプリケーションでは、ユーザーが「ボタンをクリックしたらAの処理」「エンターキーを押したらBの処理」「メニューを選択したらCの処理」というように、ユーザーからの入力を受けて、その入力に対応する処理を実行します。

Fig 入力に応じた処理を実行する

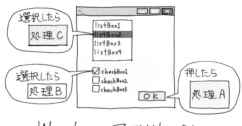

次からはサンプルアプリケーションを作りながら、Windowsアプリケーションを作るための操作や処理の作り方の流れをつかみましょう。

📟 デバッグとデバッガ

デバッグしていると「プログラム実行中にこの変数の値が見たい」ということがあります。この場合、「Console.WriteLine(見たい変数);」と書いてもよいですが、Visual Studioにはデバッグが効率的にできるデバッガというツールが付属しています。

これは特定の行で処理を止めて、変数の値を見ることができる便利なツールです。例えば次図のようにプログラムの2行目でmoneyの値が正しく更新されたかどうかを確認したい場合は、11行目の左端をクリックします。すると、赤丸が付きます（もう一度赤丸をクリックすると、消すことができます）。

Fig　確認する行に赤丸を付ける

11行目の左側をクリックする

この状態でメニューバーから**デバッグ→デバッグの開始**（「デバッグなし」で開始ではありません）を選択すると、選択した3行目で処理が止まり、左下にローカルウィンドウが表示され、そのウィンドウに変数の値が表示されます。ローカルウィンドウでは、処理を止めた時点のローカル変数の値を確認できます。

Fig　変数の値が表示される

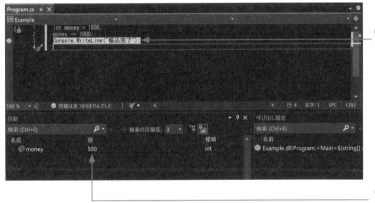

❶実行すると、処理が3行目で停止する

❷停止した時点のローカル変数の値が表示される

デバッグを中止するにはメニューバーから**デバッグ→デバッグの中止**を選択するか、Visual Studioの上部に表示される停止ボタン（赤い四角）をクリックしてください。

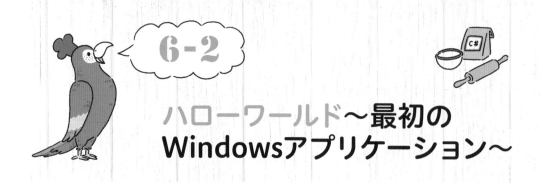

ハローワールド〜最初の
Windowsアプリケーション〜

　最初に作るWindowsアプリケーションは、ボタンを押すと画面上に「Hello, World!」という文字列を表示するものです。作成するアプリケーションの画面イメージは次の通りです。

Fig　作成するアプリケーション

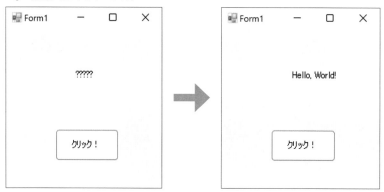

 ## Windowsアプリケーションの概要

　作成に取りかかる前に、Windowsアプリケーションを作るうえで使用する用語を説明します。
　アプリケーションの画面のことを**フォーム**と呼びます。フォームに配置するボタンなどの部品のことを**コントロール**、ユーザーからの入力を**イベント**、イベントが発生したときに実行するメソッドのことを**イベントハンドラ**と呼びます。これからも頻繁に出てくる言葉なので、しっかりと覚えておきましょう。

Fig　Visual C#で使う用語

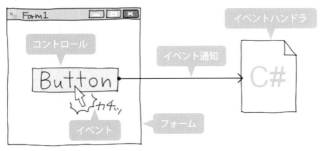

「イベント」と「イベントハンドラ」についてもう少し詳しく説明します。

「ボタンを押した」「ボックスに入力した」「メニューを選択した」など、ユーザーが行う入力をイベントと呼びます。コントロールごとにたくさんのイベントが用意されており、ユーザーからの様々な入力を受け付けるようになっています。

例えばボタンの場合、「マウスでクリックされた（Click）」「マウスのクリックが離された（MouseUp）」「マウスポインタがボタンの上に乗った（MouseHover）」などのイベントが用意されています。

全てのイベントを一度に覚える必要はありません。本書で出てきたイベントから徐々に覚えていってください。

Fig　イベントとは

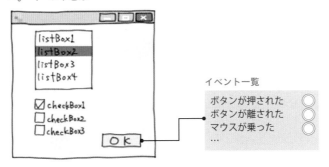

また、ボタンが押されたら処理Aを実行するなどイベントに応じた処理を実行するためには、「イベント」と「イベントが発生したときに実行されるメソッド」を結び付けます。このメソッドのことをイベントハンドラと呼び、イベントに応じてイベントハンドラのプログラムを実行する方式をイベントドリブンと言います。

Fig　イベントハンドラとは

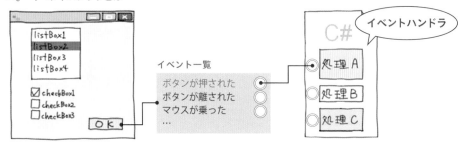

アプリケーションの作成手順

ここから作成していくWindowsアプリケーションは、基本的に次の3ステップで進めます。

Windowsアプリケーションの作成手順

手順1 コントロールをフォーム上に配置する

手順2 コントロールにイベントハンドラを追加する

手順3 入力に応じた処理をイベントハンドラに書く

それぞれの手順でどのようなことをするのかを詳しく見ていきましょう。

◆ 手順① コントロールをフォーム上に配置する

手順①では、アプリケーションの完成形をイメージしながら、フォーム上に必要なコントロールを配置します。コントロールは、ボタンやラベル、メニュー、スライダなど、ユーザーの入力を受け付ける部品です。今回は「?????」と「Hello,World!」の文字列を表示するラベル (Label) と、ラベルの表示を「?????」から「Hello, World!」に変更するボタン (Button) を配置します。

Fig　フォーム上にコントロールを配置する

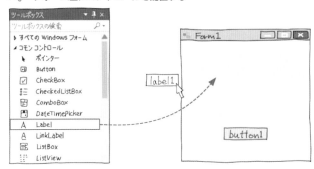

◆ 手順② コントロールにイベントハンドラを追加する

　手順②では、コントロールが受け取るイベントを選択し、イベントハンドラを追加します。イベントはユーザーの入力、イベントハンドラは「イベントが発生したときに実行するメソッド」です。

　今回のアプリではボタンがクリックされたときに「Hello,World!」の文字を表示したいので、ボタンのクリックを検知する「Click」イベントにイベントハンドラを追加します。

Fig　ボタンにイベントハンドラを追加する

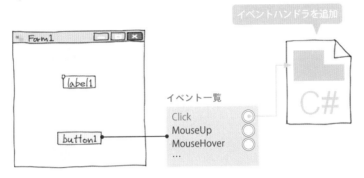

◆ 手順③ 入力に応じた処理をイベントハンドラに書く

　手順③では、手順②で追加したイベントハンドラに、ユーザーの入力を受け取ったときに実行する処理を書きます。今回はClickイベントのイベントハンドラに、「Hello, World!」とラベルに表示するプログラムを記述します。

Fig　イベントが発生したときの処理をイベントハンドラに入力

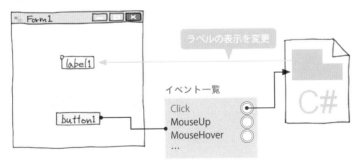

イベントの種類

　コントロールが受け取れるイベントには様々な種類があります。代表的なイベントには次のようなものがあります。

Table　代表的なイベント

イベント	呼ばれるタイミング
Click	クリックされたときに呼ばれる
TextChanged	テキストが変化したときに呼ばれる
SelectedIndexChange	選択中のアイテムが変わったときに呼ばれる
MouseDown	マウスが押されたときに呼ばれる

step 01　プロジェクトを作成しよう

　先ほど考えた手順でWindowsアプリケーションを作るため、まずはプロジェクトを作成します。
　Windowsアプリケーションを作るためには、コンソールアプリと同様にプロジェクトを作成します。Visual Studioの起動画面から新しいプロジェクトの作成を選択してください（既にVisual Studioを開いている場合はメニューバーからファイル→新規作成→プロジェクトを選択してください）。

Fig　プロジェクトの作成①

新しいプロジェクトの作成画面が表示されます。画面右側からWindowsフォームアプリケーション（.NET Framework）を選択して、次へボタンをクリックしてください。Windowsフォームアプリケーションでは、Windowsで使うアプリケーション全般を作ることができます。

Fig　プロジェクトの作成②

❶Windowsフォームアプリケーション（.NET Framework）を選択

❷次へをクリック

ここではプロジェクト名を「HelloWorld」としましょう。プロジェクトを保存する場所（任意）を指定して、作成ボタンをクリックしてください。

Fig　プロジェクトの名前と保存場所を設定する

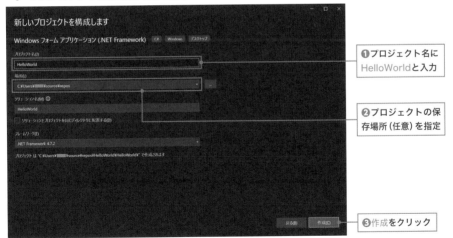

❶プロジェクト名にHelloWorldと入力

❷プロジェクトの保存場所（任意）を指定

❸作成をクリック

指定した場所にプロジェクトが作成され、Windowsアプリケーションを作成する画面が表示されます。

Fig Windowsアプリケーションの作成画面

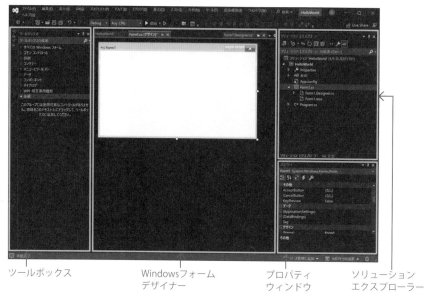

ツールボックス　　　　　Windowsフォーム　　　プロパティ　　　　ソリューション
　　　　　　　　　　　　デザイナー　　　　　　ウィンドウ　　　　エクスプローラー

　これまで見てきたコンソールアプリの画面とは、見た目が少し異なっていますね。また、今は表示されていませんが、画面下部にコンソールアプリでも使った「出力」や「エラー一覧」のウィンドウも表示されます。

　画面左側にツールボックスのウィンドウが表示されていない場合は、画面左端の「ツールボックス」という文字をクリックしてください（ここにもツールボックスが表示されていなければメニューバーから表示→ツールボックスを選択）。ツールボックスのウィンドウが表示されます。このウィンドウを固定するために、右上のピンが横向きの場合はクリックして縦向きにしましょう。

Fig ツールボックスを表示する

画面右下にプロパティウィンドウが表示されていない場合は、メニューバーから表示→プロパ
ティウィンドウを選択してください。右下にプロパティウィンドウが表示されます。このウィンド
ウを固定するために、右上のピンが横向きの場合はクリックして縦向きにしましょう。

Fig　プロパティウィンドウを表示する

①表示→プロパティウィンドウを選択

❷ピンが横向きの
場合はクリック

　新しく追加されたウィンドウにどのような役割があるのかを見ていきます。

◆ Windowsフォームデザイナー

　画面の中央部分を「Windowsフォームデザイナー」と呼びます。Windowsフォームデザイナー
では、フォーム（Windowsアプリケーションの画面）のサイズ変更やコントロールの配置、位置調
整など、アプリケーション画面の設計を行います。

◆ ツールボックス

　ツールボックスには、コントロール（ボタンやラベル、文字を入力するテキストボックス、画像
を表示するピクチャーボックスなど）の一覧が表示されます。使いたいコントロールをツールボッ
クスからフォーム上にドラッグ＆ドロップして配置します。

◆ プロパティウィンドウ

　画面右下のプロパティウィンドウには、フォーム上で選択したコントロールの詳細な情報（位置、
サイズ、色など）が表示されます。また、イベントハンドラの設定もこのウィンドウから行います。

コントロールを配置しよう

プロジェクトの作成ができたので、次はコントロールをフォーム上に配置します。ここでは「Hello, World!」と表示するラベル（Label）と、ラベルの表示を「?????」から「Hello, World!」へ変更するボタン（Button）を配置します。

よく使われるコントロールは235ページの一覧で紹介しているので、興味のある方はそちらもご覧ください。

♦ ボタンを配置する

ツールボックスのコモンコントロールをクリックすると、コントロールのリストが表示されます。リストからButtonを選択し、フォーム上にドラッグ＆ドロップしてください。配置する場所は大体で構いません。ボタンが小さすぎると感じた場合、フォームやボタンの端をドラッグして大きさを調節してください。

Fig　ドラッグ＆ドロップでコントロールを配置する

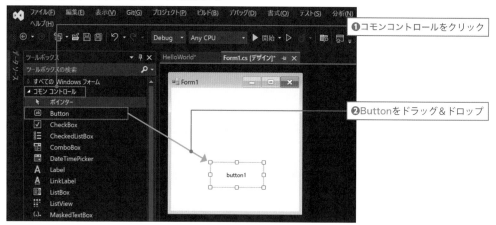

♦ ボタンの表示を変更する

フォームに配置したボタンには「button1」と書かれています。これを「クリック！」に変更しましょう。

Fig　「button1」の表示を「クリック!」に変更する

224

フォーム上に配置したボタンを選択すると、右下にあるプロパティウィンドウにbutton1のプロパティが表示されます（ボタンをダブルクリックしてプログラムが表示されてしまった場合は、次ページのNoteをご覧ください）。プロパティでは、色や大きさ、位置、表示文字など、選択したコントロールの設定ができます。コントロールのプロパティを書き換えることで、コントロールの見た目をフォーム上で確認しながら変更できます。

　プロパティウィンドウのプロパティタブが選択されていることを確認してから、「Text」欄に「クリック！」と入力してください。

　入力後にEnterキーを押すと、フォーム上のボタンが「クリック！」に変わります。このように、Textプロパティに入力した文字列はコントロールに反映されます。

Fig　ボタンの「Text」プロパティを設定する

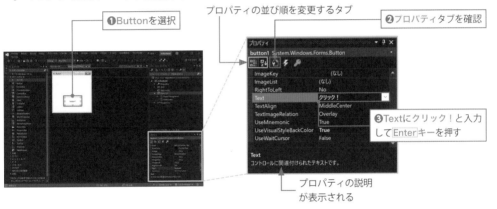

プロパティの並び順を変更するタブ

❶Buttonを選択

❷プロパティタブを確認

❸Textにクリック！と入力してEnterキーを押す

Text
コントロールに関連付けられたテキストです。

プロパティの説明が表示される

Fig　ボタンに表示されている文字列が変更される

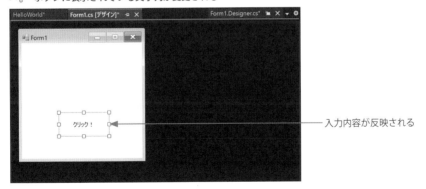

入力内容が反映される

　それぞれのプロパティの役割はプロパティウィンドウの下に説明が表示されるので、参考にしてください。また、プロパティの並びは「項目別」と「A-Z順」をタブで切り替えられます（本書では項目別を使用します）。

イベントハンドラの削除

　フォーム上のボタンを選択するとき、ダブルクリックしてしまうと自動的にプログラムの画面に遷移し、button1_Clickという名前のイベントハンドラが生成されてしまいます。

Fig　イベントハンドラが自動で生成されてしまう

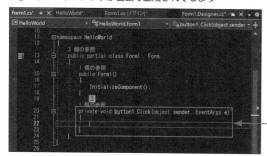

イベントハンドラが
自動で生成される

　このようになった場合、一度Form1.cs［デザイン］タブを選択し、デザインフォームに戻ってください。

Fig　デザインフォームに戻る

Form1.cs［デザイン］タブを選択

　ボタンを選択し、右下のプロパティウィンドウからイベントタブを選択し、「Click」欄に書かれている「button1_Click」を消してEnterキーを押してください。

Fig　イベントハンドラを削除する

❶Buttonを選択

❷イベントタブを選択

❸Clickのbutton1_Click
を削除して、Enterキー
を押す

　この操作で先ほどプログラム上に自動生成されたイベントハンドラも削除されます。プログラムに生成されたイベントハンドラを手動で消すと、フォーム画面との整合性がとれずに修正に手間がかかるので注意してください。

♦ ボタンの名前を変更する

コントロールをツールボックスからフォームにドラッグ＆ドロップすると、名前（コントロールに表示する文字ではなく、ボタン自体が持つ名前）が自動的に設定されます。これを、ボタンの役割が推測できる名前に変更しましょう。

こちらはNameプロパティで変更します。フォーム上のButtonを選択した状態で、プロパティウィンドウの「(Name)」の欄に「helloButton」と入力してください。

ここで設定したNameプロパティは、プログラム中で変数名として使います。今回は「helloButton」と設定したので、プログラム中でこのボタンを「helloButton」という変数名で扱うことができます。

Fig　ボタンのNameプロパティを設定する

♦ ラベルを配置する

同様の手順でラベルも配置しましょう。ツールボックスのコモンコントロールにあるLabelを、フォーム上にドラッグ＆ドロップしてください。

Fig　ラベルを配置する

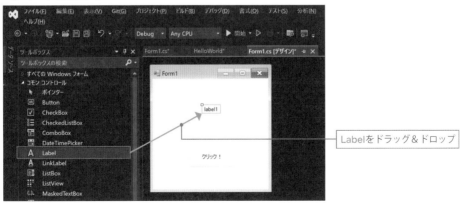

♦ ラベルの表示を変更する

　ラベルに表示されている文字列を「label1」から「?????」に変更しましょう。こちらもボタンのときと同じように、ラベルのTextプロパティを変更します。フォーム上のLabelを選択した状態でプロパティウィンドウの「Text」欄に「?????」と入力してEnterキーを押してください。

Fig　ラベルの文字を設定する

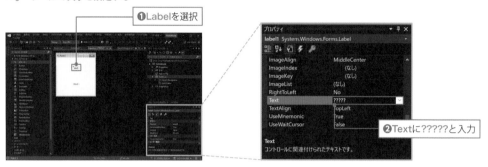

♦ ラベルの名前を変更する

　Labelにも変数名を付けておきましょう。フォーム上に配置したLabelを選択した状態で、プロパティウィンドウの「(Name)」欄に「helloLabel」と入力してください。プログラムではこのラベルを「helloLabel」という変数名で扱います。

Fig　ラベルのNameプロパティを設定する

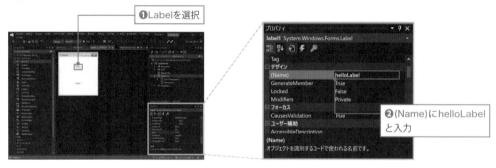

　以上で必要なコントロールを全て配置できました。プログラムを実行して見栄えを確認してみましょう。実行するには、画面上部の開始ボタンをクリックします。

Fig アプリケーションを実行する

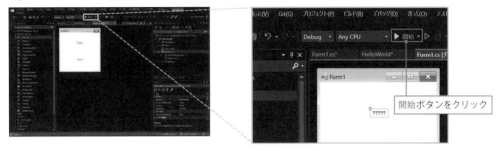

実行結果は次のようになります。ボタンとラベルを配置したフォームが表示されました。

Fig アプリケーションの実行画面

動作が確認できたら、アプリケーションの右上にある×ボタンをクリックするか、Visual Studioの画面上部の停止ボタンをクリックしてアプリケーションの実行を停止しましょう。

Fig アプリケーションを停止する

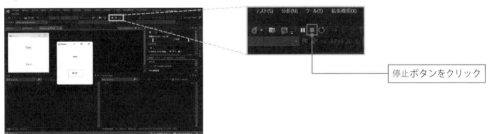

実行すると画面下側に出力ウィンドウが表示されます。ここでは、実行結果などの情報を確認することができます。

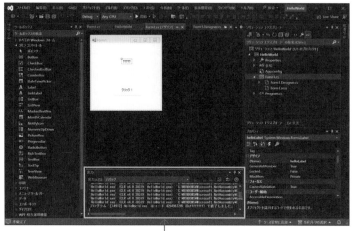

出力ウィンドウ

解説 コントロールとは何か

今回配置したボタンやラベルなどのコントロールは、4章で学んだクラスでできています。これらのクラスは、Windowsアプリケーションを簡単に作れるようにMicrosoft社が提供してくれているものです。

コントロールを配置する段階では「コントロールはクラス」ということを意識する必要はありませんが、プログラムを作るときにはこの考え方が必要になるので、覚えておいてください。

また、プロパティを設定することでボタンやラベルの見た目を変更しました。ここで設定したプロパティは、4章の145ページで説明したプロパティと同じものです。4章ではPlayerクラスにHpプロパティを作りました。これと同様、ButtonクラスやLabelクラスにはTextプロパティやNameプロパティがあり、プロパティに代入する値をエディターで視覚的に設定しているのです。

Fig プロパティとは

Playerクラス　　　　　　　　　　　　　　　　　　　　Buttonクラス

ボタンにイベントハンドラを設定しよう

　続いて、ボタンがクリックされたときにラベルを書き換えるため、ボタンのClickイベントにイベントハンドラを追加します。

　フォーム上のButtonを選択し、プロパティウィンドウからイベントタブを選択してください。イベントタブの中に「Click」の欄があるので、そこに「HelloButtonClicked」と入力して Enter キーを押してください。

Fig　イベントハンドラを追加する

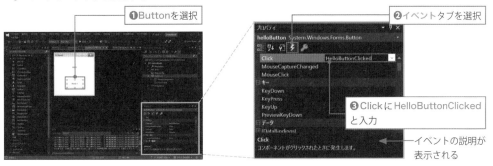

　Windowsフォームデザイナーが表示されていた部分がプログラムに切り替わり、Clickイベントに設定したHelloButtonClickedイベントハンドラが追加されます。

Fig　プログラムにイベントハンドラが追加される

HelloButtonClickedイベントハンドラが追加される

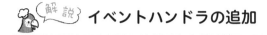 イベントハンドラの追加

　プロパティウィンドウの「イベント」タブでは、コントロールがイベント（ユーザーの入力）を受け取ったときに実行するイベントハンドラ（メソッド）を設定できます。イベントには様々な種類があり、受け取りたいイベントを選択してイベントハンドラを設定できます。

　今回のアプリではユーザーがボタンをクリックしたことを検知して処理する必要があります。ユーザーがボタンをクリックするとClickイベントが発生するので、このイベントにHelloButtonClickedイベントハンドラを追加しました。

Fig　イベントハンドラの追加

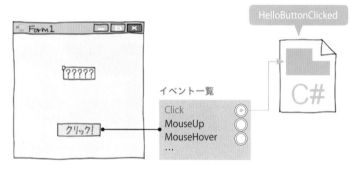

ダブルクリックでもイベントハンドラを追加できる

　フォーム上に配置したコントロールをダブルクリックしても、イベントとイベントハンドラを紐付けられます。ボタンの場合、ダブルクリックすると「Nameプロパティ_Click」という名前のイベントハンドラが生成されます。

　ダブルクリックでイベントハンドラを作る場合、イベントの種類は、それぞれのコントロールでよく使われるイベントが自動的に選ばれます。

^{step}04 イベントハンドラの中身を書こう

HelloButtonClickedイベントハンドラに、Labelの表示を「?????」から「Hello, World!」へと変更する処理を書きます。次のプログラムをForm1.csに入力してください（入力する部分を網掛けで示しています）。

List 6-1　ボタンクリックでラベルのメッセージを変更（Form1.cs）　　　　　　　　⬇ list6-1.txt

```
 1 using System;
 2 using System.Collections.Generic;
 3 using System.ComponentModel;
 4 using System.Data;
 5 using System.Drawing;
 6 using System.Linq;
 7 using System.Text;
 8 using System.Threading.Tasks;
 9 using System.Windows.Forms;
10
11 namespace HelloWorld
12 {
13     public partial class Form1 : Form
14     {
15         public Form1()
16         {
17             InitializeComponent();
18         }
19
20         private void HelloButtonClicked(object sender, EventArgs e)
21         {
22             this.helloLabel.Text = "Hello, World!";
23         }
24     }
25 }
```

開始ボタンをクリックして実行してみましょう。ウィンドウが表示されたら「クリック！」ボタンを押して、「?????」が「Hello, World!」になることを確かめてください。

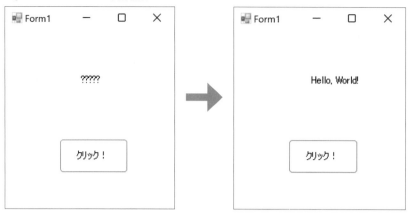

 ## イベントハンドラでラベルの文字を変更する

　プログラムを見ると、コンソールアプリと比べて**using**の数が増えていますね。これは、フォームやコントロールのクラスを名前空間を指定せずに使えるようにするためです。プログラムを記述している**Form1クラス**は、アプリケーション画面を表示するための**Formクラス**を継承して作られています（13行目）。基本的にはこのクラスに、アプリケーションを動かすプログラムを追加していきます。

　Form1のコンストラクタでは**InitializeComponentメソッド**を呼び出し、フォーム上に配置したコントロールを初期化しています。

　20行目〜23行目が先ほど追加した**HelloButtonClickedイベントハンドラ**です。このイベントハンドラに、ラベルの表示を書き換えるプログラムを記述しています。

　プログラムでコントロールを操作するためには、Nameプロパティに設定した変数名を使います。今回はLabelのNameプロパティを「helloLabel」に変更しているので、「`this.helloLabel`」とすることでラベルにアクセスできます。

　ラベルを書き換えるため、22行目の左辺に「`this.helloLabel.Text`」と書いて、ラベルのTextプロパティに文字列を代入しています。

　最後に、「クリック！」ボタンが押されたときのプログラムの流れをおさらいしましょう。

　フォーム画面のボタンをクリックすると**Clickイベント**が発生し、そのイベントに追加された**HelloButtonClickedイベントハンドラ**が呼ばれます。HelloButtonClickedの中では**helloLabel**のTextプロパティに「Hello, World!」を代入するので、フォーム画面のラベルの表示が「Hello, World!」に変わります。

📓 イベントハンドラの引数

　イベントハンドラには必ず2つの引数があり、1つ目の引数には、どのコントロールから呼ばれたか
の情報、2つ目のにはイベントの詳細情報が格納されます。

📓 様々なコントロール

　Windowsアプリケーションは様々なコントロールを使うことができます。ここでは主要なコント
ロールを紹介します。ざっと目を通しておいて、どんなコントロールが用意されているのかを知っ
ておきましょう。

Table　よく使うコントロールの種類

コントロール名	見た目	役割
Button	button1	ボタン
CheckBox	☑ checkBox1 ☑ checkBox2 ☐ checkBox3	項目から必要なものを選択する（複数選択可）
RadioButton	○ radioButton1 ○ radioButton2 ◉ radioButton3	項目から必要なものを選択する（1つだけ選択可）
ListBox	listBox1	リストから項目を選択する
ComboBox	ComboBox ∨	選択項目をドロップダウンメニューで表示して、そのうちの1つを選択する
DataGridView	Column1 Column2	表形式のデータを表示する
Label	label1	文字を表示する
MenuStrip	ファイル(F)	メニューバーを表示する
PictureBox		画像を表示する
ProgressBar		処理の進捗状況を表示する
TextBox	textBox1	文字を入力させる

※練習問題の解答例はサポートページ（https://isbn2.sbcr.jp/23173/）からダウンロードできます。

Chapter 6 のまとめ

　初めてのWindowsアプリケーション作りなので、これまでとは違って慣れない操作だったかも
しれません。どのようなWindowsアプリケーションでも、基本的にはこの章で行った3つの手順で
作っていくので、手順の流れをつかむまではこの章のような単純なアプリを何個でも作ってみると
よいでしょう。

▶ 手順❶ コントロールをフォーム上に配置する
▶ 手順❷ コントロールにイベントハンドラを追加する
▶ 手順❸ 入力に応じた処理をイベントハンドラに書く

Chapter 7

Windowsアプリケーションの作成

7章では、5つのサンプルアプリケーションを作っていきます。これらのサンプルを通じて、コンボボックスやデータグリッドビュー、メニューバーなど、いろいろなコントロールの使い方を学んでいきましょう。また、Nugetと呼ばれるパッケージ管理システムの使い方についても紹介します。

7-1節では消費税計算機を作ります。この計算機は、税抜価格の欄に値段を入力して「計算する」ボタンを押すと税込価格を表示します。これから作成するアプリケーション画面のイメージは次のようになります。このサンプルを通じて、Windowsアプリケーションの作成手順と、入力を受けて計算処理を行うプログラムの作り方を学んでいきましょう。

Fig　消費税計算機のイメージ

 ## 消費税計算機の作成手順

6章と同様に、次の3つの手順で設計を進めます。

Windowsアプリケーションの作成手順

手順1 コントロールをフォーム上に配置する

手順2 コントロールにイベントハンドラを追加する

手順3 入力に応じた処理をイベントハンドラに書く

◆ 手順① コントロールをフォーム上に配置する

消費税計算機のイメージ図を見ながら、必要なコントロールをフォームに配置します。

ここでは、「税抜価格」と「税込価格」の説明を表示するラベル (Label)、税抜価格の入力と税込価格を表示するテキストボックス (TextBox)、計算を開始するボタン (Button) を配置します。

Fig　配置するコントロール

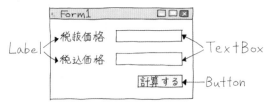

♦ 手順② コントロールにイベントハンドラを追加する

　「計算する」ボタンが押されたら税込価格を計算するように、ボタンの**Click**イベントにイベントハンドラを追加します。

Fig　追加するイベントハンドラ

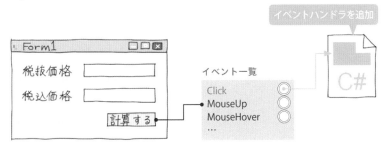

♦ 手順③ 入力に応じた処理をイベントハンドラに書く

　手順②で作成したボタンのイベントハンドラに、税込価格を計算するプログラムを追加します。具体的には税抜価格を元に計算した税込価格を画面に表示する処理を書きます。

Fig　イベントハンドラに処理を書く

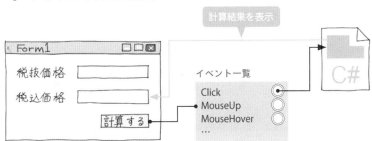

Step 01 プロジェクトを作成しよう

　Windowsアプリケーション用のプロジェクトを作成しましょう。Visual Studioの起動画面から新しいプロジェクトの作成を選択してください（既にVisual Studioを開いている場合はメニューバーから**ファイル→新規作成→プロジェクト**を選択してください）。

Fig　プロジェクトの作成①

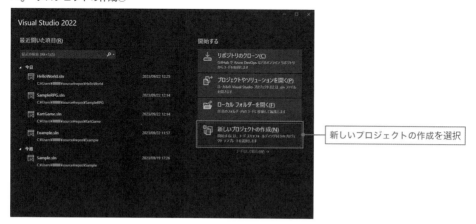

　新しいプロジェクトの作成画面が表示されます。画面右側から**Windowsフォームアプリケーション（.NET Framework）**を選択して、**次へ**ボタンをクリックします。

Fig　プロジェクトの作成②

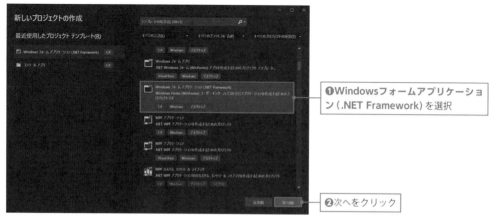

ここではプロジェクト名を「TaxCalc」としましょう。プロジェクトを保存する場所（任意）を指定して、作成ボタンをクリックしてください。

Fig　プロジェクトの名前と保存場所を設定する

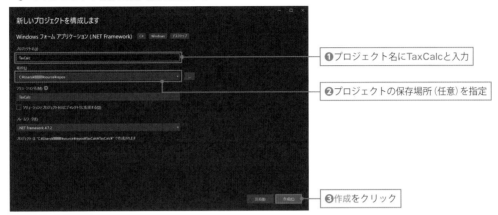

❶プロジェクト名にTaxCalcと入力

❷プロジェクトの保存場所（任意）を指定

❸作成をクリック

step 02　コントロールを配置しよう

　Windowsフォームデザイナーでフォームのサイズを横長に変形しておきましょう。Form1の端をドラッグするとフォームのサイズを変形できます。下図のような形にしてください。なお、フォームやコントロールのサイズは、プロパティウィンドウの「Size」欄で変更することもできます。

Fig　フォームのサイズ変更

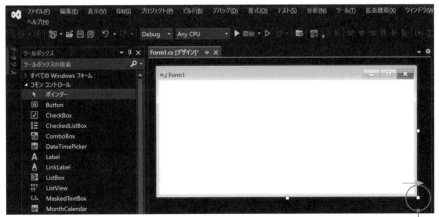

ドラッグしてサイズを調整

フォーム上に必要なコントロールを配置していきます。今回はTextBox、Button、Labelを配置します。

♦ TextBoxを配置する

税抜価格を入力する「TextBox」から配置していきます。

TextBoxはユーザーがテキストを入力できるコントロールです。画面左側のツールボックスのコモンコントロールからTextBoxをフォーム上にドラッグ＆ドロップしてください。配置する場所は大まかで大丈夫ですが、TextBoxの左側にはLabelを配置するので少しスペースを開けておいてください。

Fig　TextBoxを配置する

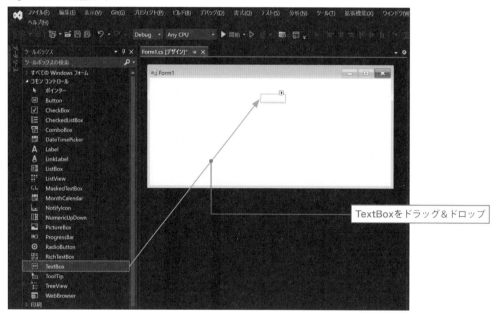

配置したTextBoxの右端にカーソルを合わせると、カーソルの形が「↔」に変わります。この状態でTextBoxの右端をドラッグして横長に変形してください。

Fig　TextBoxを変形する

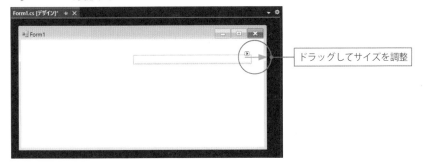

ドラッグしてサイズを調整

　　フォーム上に配置したTextBoxを選択してから、プロパティウィンドウのプロパティタブを選択し、「(Name)」欄に「priceBox」と入力してください。「(Name)」欄に設定した値はプログラムから変数名として使えます。プログラムから操作する可能性のあるコントロールには変数名としてわかりやすい名前を付けておくようにしましょう。

Fig　TextBoxのNameプロパティを設定する

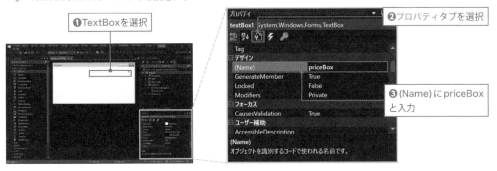

❶TextBoxを選択

❷プロパティタブを選択

❸(Name)にpriceBox
と入力

　　同様の方法で、税込価格用のTextBoxを配置します。ツールボックスからTextBoxを選択し、税抜価格を入力するTextBoxの下側にドラッグ＆ドロップします。横の長さが税抜価格のTextBoxと同じになるように調節してください。

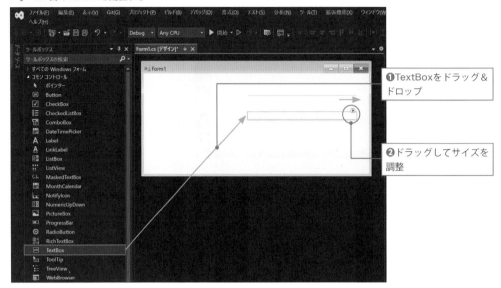

❶TextBoxをドラッグ＆ドロップ

❷ドラッグしてサイズを調整

　いま配置した税込価格用のTextBoxを選択して、プロパティウィンドウの「(Name)」欄に「taxPriceBox」と入力してください。

　また、税込価格のTextBoxは計算結果を表示するためのもので、ユーザーには入力してほしくありません。そこで、プロパティウィンドウの「Enabled」欄を「False」にします。

　Enableプロパティはコントロールがユーザーの入力を受け付けるかどうかを設定します。「False」にすると無効化され、実行時には灰色で表示されてユーザーからの操作を受け付けなくなります。

Fig　2つ目のTextBoxのNameプロパティを設定する

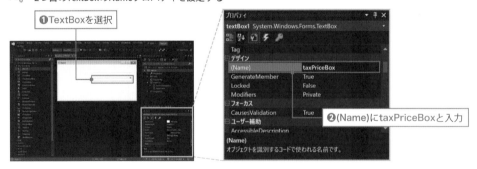

❶TextBoxを選択

❷(Name)にtaxPriceBoxと入力

Fig　TextBoxへの入力を無効化する

EnabledをFalseに設定

♦ Buttonを配置する

　計算ボタンを配置します。ツールボックスのコモンコントロールからButtonをフォーム上にドラッグ＆ドロップしてください。また、Buttonに表示されている文字が見えるように、サイズを少し大きくしてください。大きさの変更は、Buttonの右端をドラッグします。

Fig　Buttonを配置する

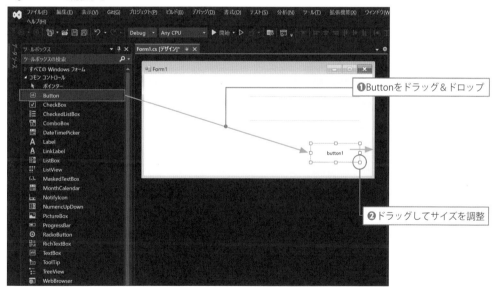

❶Buttonをドラッグ＆ドロップ

❷ドラッグしてサイズを調整

フォーム上に配置したButtonを選択して、プロパティウィンドウの「(Name)」欄に「calcButton」
と入力してください。

Fig　ButtonのNameプロパティを設定する

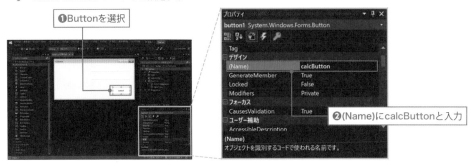

　計算ボタンに「計算する」と表示するため、Buttonを選択した状態でプロパティウィンドウの
「Text」欄に「計算する」と入力してください。Textプロパティを設定するとコントロールに表示す
る文字を変更できるのでした。

Fig　ButtonのTextプロパティを設定する

♦ Labelを配置する

　先ほど配置したTextBoxに何を入力すればよいのか、ユーザーがひと目でわかるように説明用の
文字を表示しましょう。

　TextBoxの左側にLabelを配置して説明文を表示します。ツールボックスからLabelをドラッグ
＆ドロップしてください。

Fig　Labelを配置する

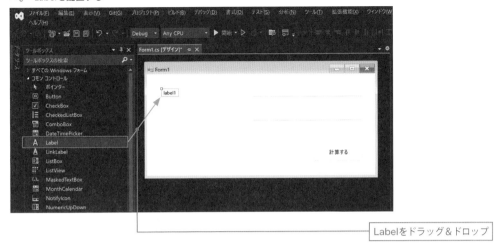

Labelをドラッグ＆ドロップ

　配置したLabelを選択した状態でプロパティウィンドウの「Text」欄に「税抜価格」と入力してください。

Fig　LabelのTextプロパティを設定する

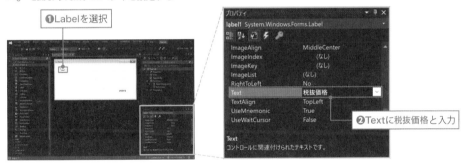

❶Labelを選択

❷Textに税抜価格と入力

　同様の手順で、税込価格用のラベルも配置しましょう。ツールボックスからLabelをドラッグ＆ドロップし、配置したLabelを選択した状態で、プロパティウィンドウの「Text」欄に「税込価格」と入力しましょう。

Fig　2つ目のLabelを配置する

Labelをドラッグ＆ドロップ

Fig　2つ目のLabelのTextプロパティを設定する

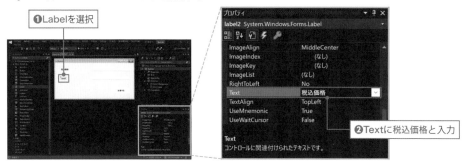

❶Labelを選択

❷Textに税込価格と入力

　必要なコントロールを全て配置できました。フォームやコントロールの位置やサイズを調整して、全体的にバランスよくなるようにしましょう。

Fig　アプリケーションを実行する

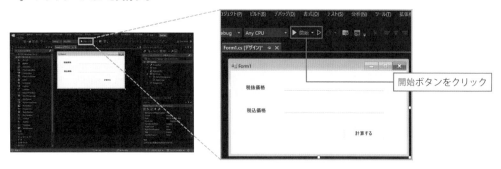

開始ボタンをクリック

　ここまでできたら一度実行してみましょう。次図のような画面が表示されます。

248

Fig　アプリケーションの実行画面

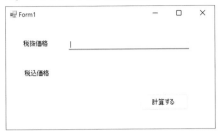

「税抜価格」と「税込価格」のLabelだけはNameプロパティを設定しませんでした。この理由は、プログラムからラベルの値を書き換える予定がないためです。値を書き換えるかどうかは、実行中に見た目を変えるかどうかを目安にしてみてください。

Nameプロパティ

プログラマがNameプロパティを設定しなくても自動的に変数名が付きますが、その場合は「button1」「button2」のように機能が想像しにくい名前になってしまいます。プログラムで書き換える予定のあるコントロールには、自分で名前を付けて見分けやすくしておきましょう。

 コントロールを配置したとき、その裏では・・・？

コントロールをフォーム上にドラッグ＆ドロップしたとき、Visual Studioでは何が起きているのかを説明します。

Visual Studioの挙動を知るために、まずはプロジェクトのクラス構成についてを知っておきましょう。Windowsアプリケーションのプロジェクトを作成すると、次の2つのクラスと3つのファイルが作られます。

▶ Programクラス（**Program.cs**）
▶ Form1クラス（**Form1.cs**と**Form1.Designer.cs**）

Programクラスでは、Form1クラスのインスタンスを生成して、画面にForm1ウィンドウを表示しています。

Form1はアプリケーションの処理を書くためのクラスで、Form1.csとForm1.Designer.csファイルに分かれています。Form1.csはプログラマがイベントハンドラの内容を書くファイルで、Form1.Designer.csはVisual Studioがコントロール関連のプログラムを自動生成するファイルです。

Fig 生成されるクラスとファイル

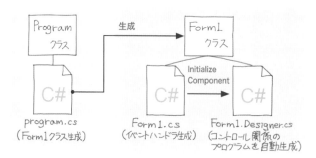

コントロールをフォーム上にドラッグ＆ドロップしたとき、何が起こるのかを見ていきましょう。6章で書いた通り、コントロールはクラスでできています。コントロールをフォーム上にドラッグ＆ドロップすると、そのインスタンスを生成するプログラムがForm1.Designer.csファイルの中に自動的に記述されます。どのようなプログラムが生成されているのか、画面右側のソリューションエクスプローラーから「Form1.Designer.cs」を開いて見てみましょう（以下の図では、見やすいようにツールボックスを閉じています）。

Fig Form1.Designer.csを表示する

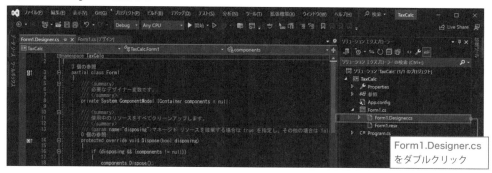

Form1.Designer.csのプログラムの一番下を見ると、フォーム上に配置したコントロールの変数が並んでいます。宣言されている変数名が、プロパティウィンドウの「Name」で設定した値になっていることにも注目してください。

```
private System.Windows.Forms.TextBox priceBox;
private System.Windows.Forms.TextBox taxPriceBox;
private System.Windows.Forms.Button calcButton;
private System.Windows.Forms.Label label1;
private System.Windows.Forms.Label label2;
```

つまり、コントロールをフォームにドラッグするたびに、追加したコントロールの変数が Form1.Designer.csに作られるのです。

また、追加したコントロールのインスタンスを作成するプログラムは、Form1.Designer.csのプログラム中のInitializeComponentメソッドの中にあります。「Windowsフォームデザイナーで生成されたコード」と書かれた行の左側にある＋ボタンを押してコードを展開してみてください。

Fig InitializeComponentメソッドを展開する

InitializeComponentメソッドの先頭では、コントロールのインスタンスを次のように生成しています。InitializeComponentメソッドはForm1クラスのコンストラクタから呼ばれるため、Form1クラスの生成と同時にコントロールが作成されます。

```
this.priceBox = new System.Windows.Forms.TextBox();
this.taxPriceBox = new System.Windows.Forms.TextBox();
this.calcButton = new System.Windows.Forms.Button();
this.label1 = new System.Windows.Forms.Label();
this.label2 = new System.Windows.Forms.Label();
```

コントロールのインスタンスを作るプログラムに続けて、プロパティウィンドウで設定した項目の処理が記述されています。プロパティウィンドウで値を設定したときも、自動的にプログラムが書かれているのです。

 partialクラス

Form1クラスは「Form1.cs」と「Form1.Designer.cs」の2つのファイルに分割されて記述されています。このように2つのファイルに分けてクラスを記述するには、クラス宣言の前にpartialキーワードを付けます。

step 03 コントロールにイベントハンドラを追加しよう

「計算する」ボタンをクリックしたときに税込価格の計算を行います。ボタンをクリックすると Clickイベントが発生するので、ButtonのClickイベントに「CalcButtonClicked」という名前のイベントハンドラを追加しましょう。

Fig　イベントハンドラの追加

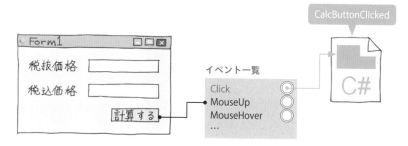

イベントハンドラはプロパティウィンドウから設定するのでした。

Form1.cs［デザイン］タブを選択してから、フォーム上に配置した「計算する」ボタンをクリックして、プロパティウィンドウのイベントタブを選択してください。イベントタブの中に「Click」欄があるので、そこに「CalcButtonClicked」と入力してEnterキーを押してください。

Fig　イベントハンドラを追加する

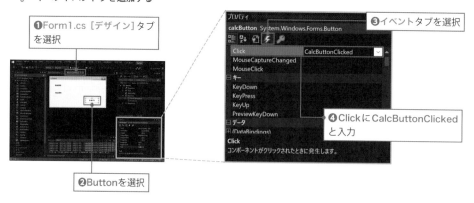

❶Form1.cs［デザイン］タブ
を選択

❷Buttonを選択

❸イベントタブを選択

❹ClickにCalcButtonClicked
と入力

すると、Form1.csにCalcButtonClickedイベントハンドラが追加されます。ButtonがClickイベントを受け取ると、このCalcButtonClickedイベントハンドラが呼び出されるようになります。

252

CalcButtonClickedイベントハンドラが追加される

サンプルファイル ▶ list¥chapter7¥list7-1.txt

step 04　イベントハンドラを実装しよう

　フォーム上の「計算する」ボタンが押されたときに、税込価格のTextBoxに計算結果を表示するよう、CalcButtonClickedイベントハンドラの中身を書きましょう。次のプログラムをForm1.csに入力してください。

List 7-1　calcButtonClickedイベントハンドラの中身を入力（Form1.cs）　　　　　　　　📥 list7-1.txt

```csharp
 1 using System;
 2 using System.Collections.Generic;
 3 using System.ComponentModel;
 4 using System.Data;
 5 using System.Drawing;
 6 using System.Linq;
 7 using System.Text;
 8 using System.Threading.Tasks;
 9 using System.Windows.Forms;
10
11 namespace TaxCalc
12 {
13     public partial class Form1 : Form
14     {
15         public Form1()
16         {
```

```
17                  InitializeComponent();
18          }
19
20          private void CalcButtonClicked(object sender, EventArgs e)
21          {
22                  int price;
23                  bool success = int.TryParse(this.priceBox.Text, out price);
24
25                  if (success)
26                  {
27                          // 消費税を計算する
28                          int taxPrice = (int)(price * 1.1);
29                          this.taxPriceBox.Text = taxPrice.ToString();
30                  }
31          }
32      }
33 }
```

　Windowsフォームデザイナーの上部の開始ボタンをクリックしてプログラムを実行し、正しく動作することを確認しましょう。以下の図では、税抜価格に「1980」を入力し、税込価格に計算結果を表示しています。

Fig　実行結果

解説　消費税の計算をする

　List 7-1では、ボタンを押したときに呼ばれるCalcButtonClickedイベントハンドラ（20行目〜31行目）の中で消費税計算をしています。この処理の流れとしては、税抜価格のTextBox（変数名はpriceBox）に入力された値に「1.1」を掛けて税込価格のTextBox（変数名はtaxPriceBox）に表示します（消費税は10%として計算します）。

23行目で、priceBoxに入力された値段を取得しています。TextBoxに入力した値は文字列型なので、そのままでは計算できません。TryParseメソッドを使って文字列型の値を数値型に変換しています。

TryParseメソッドは、第1引数の文字列が正しく数値に変換できた場合、第2引数に変換後の値を代入し（out修飾子は205ページ参照）、戻り値に「true」を返します。変換できなかった場合は「false」が返ります。

25行目〜30行目では、文字列から数値への変換が成功した場合のみ税込価格を計算してtaxPriceBoxに表示します。28行目では、税抜価格に「1.1」を掛けて税込価格を計算しています。計算結果は整数値で出力するため、int型のtaxPriceにキャストしています。

税込価格をtaxPriceBoxに表示するためには、計算した値を再度文字列型に変換する必要があります。したがって、29行目でToStringメソッドを使って税込価格の数値を文字列に変換し、taxPriceBoxのTextプロパティに代入しています。ToStringは数値を文字列に変換して返すメソッドです。

Fig　アプリケーションのデータの流れ

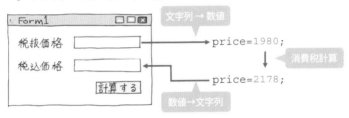

以上で消費税計算機作りは終了です。最後に、「計算する」ボタンを押したときのプログラムの流れをおさらいしておきましょう。

「計算する」ボタンを押すと、Clickイベントが発生して、CalcButtonClickedイベントハンドラが呼ばれます。このイベントハンドラの中でpriceBoxの値を取得し、その値を1.1倍してtaxPriceBoxに渡すことで税込価格を表示しています。

✎ 練習問題 7-1

TryParseが失敗したときには「税抜価格を正しく入力してください」というエラーメッセージを表示しましょう。エラーメッセージの表示には「`MessageBox.Show("表示したい文字列")`」を使ってください。

※練習問題の解答例はサポートページ（https://isbn2.sbcr.jp/23173/）からダウンロードできます。

7-2

電話帳アプリ
～ファイルからデータを取得する～

今回作るアプリケーションは電話帳です。画面左側に名前のリストが表示してあり、リストの名前を選択すると、その人の電話番号が右側のテキストボックスに表示されます。画面のイメージは次のようになります。このサンプルを通じて、コントロールやファイルからデータを取得してプログラム内で利用する方法を学んでいきましょう。

Fig　電話帳アプリのイメージ

 ## 電話帳アプリの作成手順

これまでと同様、次の3つの手順でアプリケーションを作ります。

Windowsアプリケーションの作成手順

手順1　コントロールをフォーム上に配置する

手順2　コントロールにイベントハンドラを追加する

手順3　入力に応じた処理をイベントハンドラに書く

♦ 手順① コントロールをフォーム上に配置する

電話帳アプリの画面イメージを見て、どのコントロールを使うかを考えましょう。ここでは、名前の一覧を表示するリストボックス（ListBox）、名前に対応した電話番号を表示するためのテキストボックス（TextBox）、名前と電話番号を表示していることがわかるようにラベル（Label）を配置します（電話番号の表示はラベルでもよいのですが、ボックス形式で表示した方が見やすいので、ここではテキストボックスを使います）。

Fig 配置するコントロール

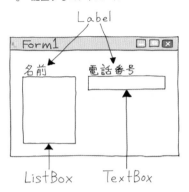

◆ 手順② コントロールにイベントハンドラを追加する

　リストボックスで名前が選択されたときに、対応する電話番号を右のテキストボックスに表示します。名前が選択されたことを検知するため、リストボックスにイベントハンドラを追加します。

Fig イベントハンドラを追加

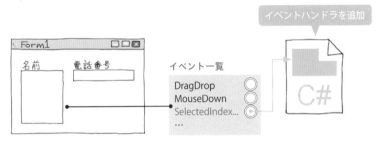

◆ 手順③ 入力に応じた処理をイベントハンドラに書く

　リストボックスで選択された人の電話番号をテキストボックスに表示するプログラムを、手順②で追加したイベントハンドラに書きます。

Fig イベントハンドラに処理を書く

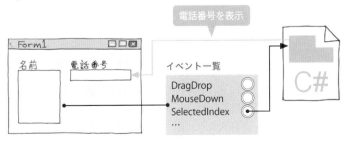

Step 01 プロジェクトを作成しよう

　電話帳アプリ用に、新規のプロジェクトを作成します。Visual Studioの起動画面から新しいプロジェクトの作成を選択します（既にVisual Studioを開いている場合はメニューバーからファイル→新規作成→プロジェクト）を選択してください。

Fig　プロジェクトの作成①

新しいプロジェクトの作成を選択

　新しいプロジェクトの作成画面が表示されます。画面右側からWindowsフォームアプリケーション（.NET Framework）を選択して、次へボタンをクリックしてください。

Fig　プロジェクトの作成②

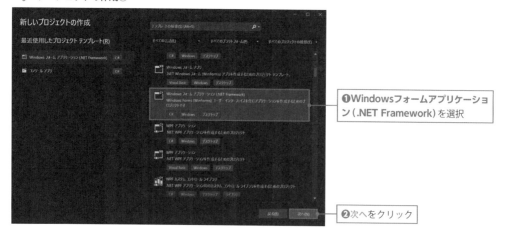

❶Windowsフォームアプリケーション（.NET Framework）を選択

❷次へをクリック

ここではプロジェクト名を「PhoneBook」としましょう。プロジェクトを保存する場所（任意）を指定して、作成ボタンをクリックしてください。

Fig　プロジェクトの名前と保存場所を設定する

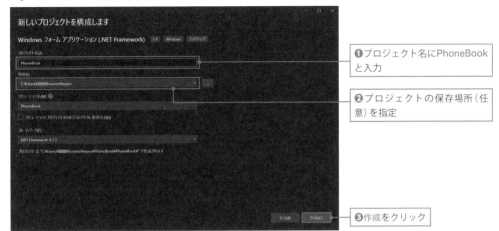

❶プロジェクト名にPhoneBook
と入力

❷プロジェクトの保存場所（任意）を指定

❸作成をクリック

step 02 コントロールを配置しよう

フォーム上に必要なコントロールを配置していきます。

今回は、横長のフォーム上にコントロールを配置します。フォームのサイズを横長に変形しておきましょう。Form1の右下の端をドラッグしてフォームのサイズを調節してください。

Fig　フォームのサイズを変更する

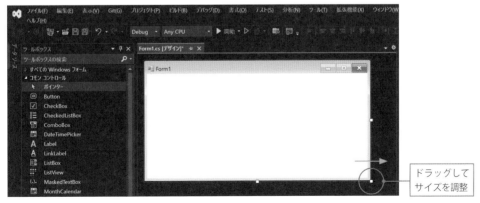

ドラッグして
サイズを調整

今回使用するコントロール部品を画面上に配置します。今回はListBoxとTextBox、Labelが必要になります。

♦ ListBoxを配置する

名前の一覧を表示するListBoxを、フォーム画面の左側に配置しましょう。ツールボックスのコモンコントロールからListBoxをフォーム上にドラッグ＆ドロップし、次図のような大きさに変形してください。また、プロパティウィンドウの「(Name)」欄に「nameList」と入力してください。

Fig　ListBoxを配置する

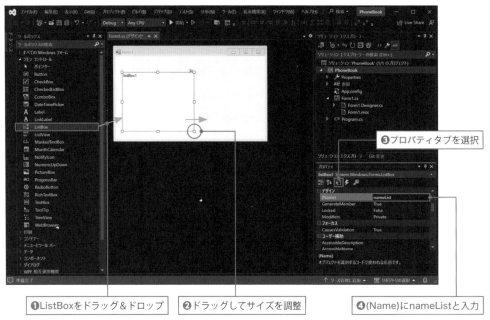

❸プロパティタブを選択

❶ListBoxをドラッグ＆ドロップ　　❷ドラッグしてサイズを調整　　❹(Name)にnameListと入力

♦ TextBoxを配置する

続けて、電話番号を表示するTextBoxを画面右側に配置します。ツールボックスからTextBoxをドラッグ＆ドロップし、電話番号が表示できるように横長にしてください。また、プロパティウィンドウの「(Name)」欄に「phoneNumber」と入力してください。

TextBoxには何も入力できないようにするため、プロパティウィンドウの「Enabled」欄を「False」にしてください。

Fig　TextBoxを配置する

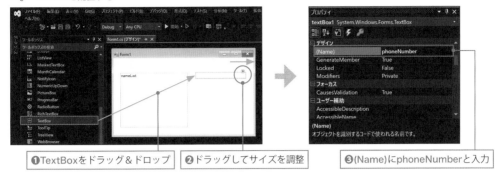

❶TextBoxをドラッグ＆ドロップ　❷ドラッグしてサイズを調整　❸(Name)にphoneNumberと入力

Fig　TextBoxの入力を無効化する

EnabledをFalseに設定

◆ Labelを配置する

　ListBoxとTextBoxに何が表示されているのかを示すLabelを配置しましょう。ツールボックスから
LabelをListBoxの上側とTextBoxの上側にそれぞれドラッグ＆ドロップしてください。また、
ListBoxの上に配置したLabelの**Text**プロパティに「名前」、TextBoxの上に配置したLabelの**Text**
プロパティに「電話番号」と入力してください。

Fig　Labelを配置する（ListBox用）

❷Textに名前と入力

❶Labelをドラッグ＆ドロップ

Fig 2つ目のLabelを配置する（TextBox用）

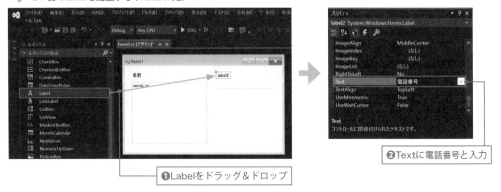

❶Labelをドラッグ＆ドロップ

❷Textに電話番号と入力

　必要なコントロールを配置できたら、一度実行してみましょう。いま配置したコントロールが乗ったウィンドウが表示されます。

Fig アプリケーションを実行する

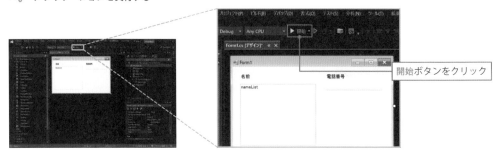

開始ボタンをクリック

Fig アプリケーションの実行画面

デザインの基本

画面デザインの基本は揃えることです。それぞれのコントロールの位置をできるだけ揃えておくと見栄えがよくなります。今回のアプリケーションでは、名前Labelの左端とListBoxの左端や、名前Labelの下端と電話番号Labelの下端などをきっちり揃えて、見やすい画面構成にしています。

コントロールを配置する際は、ガイドラインの表示に従って配置することで、簡単に位置を揃えることができます。

Fig　ガイドラインに従ってコントロールを配置する

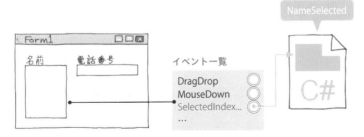

step 03　イベントハンドラを追加しよう

ListBoxから名前を選択したときに呼び出すイベントハンドラを追加します。

ユーザーがListBoxのアイテム（ここでは名前）を選択するとSelectedIndexChangedというイベントが発生します。このイベントに「NameSelected」という名前のイベントハンドラを追加しましょう。

Fig　イベントハンドラの追加

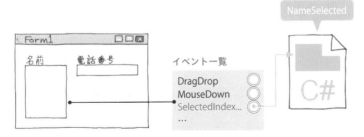

フォーム上のListBoxを選択した状態で、プロパティウィンドウのイベントタブを選択してください。ListBoxが受け取るイベントの一覧が表示されるので、「SelectedIndexChanged」欄に「NameSelected」と入力してEnterキーを押してください。

Fig イベントハンドラを追加する

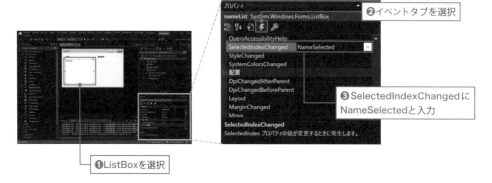

❷イベントタブを選択

**❸SelectedIndexChangedに
NameSelectedと入力**

❶ListBoxを選択

Enter キーを押すと、Windowsフォームデザイナーの画面からForm1.csのファイルの画面に切り
替わり、NameSelectedイベントハンドラが追加されていることを確認できます。

Fig イベントハンドラを確認する

NameSelectedイベントハンドラが追加される

Step 04 イベントハンドラの実装〜電話帳の作成〜

追加したイベントハンドラの中身を実装しましょう。ListBoxから名前を選択したら、対応する電話番号がTextBoxに表示されるようにします。ここでは次の手順で実装していきます。

❶名前と電話番号がペアになった電話帳を作成
❷電話帳に登録した名前をListBoxに表示
❸ListBoxで選択した人の電話番号をTextBoxに表示

Fig イベントハンドラの実装手順

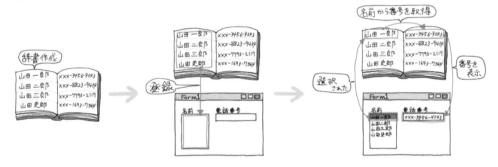

まずは、電話番号の辞書（電話帳）を作るプログラムを作成します。Form1.csを開き、次のプログラムを入力してください。

List 7-2 辞書の作成（Form1.cs）　　　　　　　　　　　　　　　　　　　📄 list7-2.txt

```
 1 using System;
 2 using System.Collections.Generic;
 3 using System.ComponentModel;
 4 using System.Data;
 5 using System.Drawing;
 6 using System.Linq;
 7 using System.Text;
 8 using System.Threading.Tasks;
 9 using System.Windows.Forms;
10
11 namespace PhoneBook
12 {
13     public partial class Form1 : Form
14     {
15         Dictionary<string, string> phoneBook;
```

```
16
17          public Form1()
18          {
19              InitializeComponent();
20
21              // 電話帳に名前を登録する
22              this.phoneBook = new Dictionary<string, string>();
23              this.phoneBook.Add("山田一郎", "xxx-3456-4343");
24              this.phoneBook.Add("山田二郎", "xxx-8823-9434");
25              this.phoneBook.Add("山田三郎", "xxx-7793-2117");
26              this.phoneBook.Add("山田史郎", "xxx-1693-7364");
27          }
28
29          private void NameSelected(object sender, EventArgs e)
30          {
31
32          }
33      }
34  }
```

　名前と電話番号がペアになった電話帳は、コレクションのDictionary型を利用して作ります。Dictionary型はキーと値のペアを保持することができ、要素の追加や削除が簡単なので、「名前↔電話番号」のようなペアのデータを扱うときに便利です。

　15行目でDictionary型のphoneBook変数をメンバ変数として宣言しています。名前と電話番号はどちらも文字列なので、「Dictionary<string, string>」という型で宣言しています。

　コンストラクタの中でDictionaryクラスのインスタンスを生成し（22行目）、名前と電話番号のペアを登録しています（23行目〜 26行目）。ここではキーを名前、値を電話番号として登録しています。

なんでphoneBookはメンバ変数なの？

　ここではphoneBook変数をメンバ変数として宣言しましたが、コンストラクタの中で宣言してもいいのでは？と思われた方がいるかもしれません。

　コンストラクタの中で宣言した場合、コンストラクタから抜けるとスコープから外れるため、phoneBook変数は使えなくなります。phoneBook変数の辞書はアプリが起動している間はずっと使用したいので、メンバ変数として宣言しています。

step 05 イベントハンドラの実装～ListBoxに表示～

続けて、辞書内にある名前のリストをListBoxに表示しましょう。Form1のコンストラクタに、次のプログラムを追加してください。

List 7-3　名前の登録（Form1.cs）　　　　　　　　　　　　　　　　　　　　⬇ list7-3.txt

```
17 public Form1()
18 {
19     InitializeComponent();
20
21     // 電話帳に名前を登録する
22     this.phoneBook = new Dictionary<string, string>();
23     this.phoneBook.Add("山田一郎", "xxx-3456-4343");
24     this.phoneBook.Add("山田二郎", "xxx-8823-9434");
25     this.phoneBook.Add("山田三郎", "xxx-7793-2117");
26     this.phoneBook.Add("山田史郎", "xxx-1693-7364");
27
28     // リストに名前を表示する
29     foreach (KeyValuePair<string, string> data in phoneBook)
30     {
31         this.nameList.Items.Add(data.Key);
32     }
33 }
```

プログラムが入力できたら実行してみましょう。phoneBook変数に登録した名前がListBoxに表示されます。

Fig　ListBoxに名前が表示される

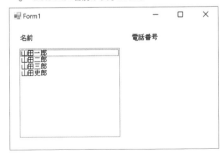

7

7-2
▼
電話帳アプリ〜ファイルからデータを取得する〜

このプログラムでは、先ほどphoneBook変数に登録した名前をListBoxに追加しています。

29行目のforeach文で、「キー」と「値」がペアになった**KeyValuePair**型を用いてphoneBook変数からデータを取り出しています。KeyValuePair型の変数から**キーを取り出したい場合は「変数名.Key」**、値を取り出したい場合は「**変数名.Value**」と書きます。

31行目では、「data.key」で辞書から取り出した名前をListBox（変数名はnameList）のItemsプロパティに**Add**メソッドで追加しています。Itemsプロパティに追加した値は、フォーム上のListBoxに表示されます。

Fig　Dictionaryから値を取り出す

Point!

KeyValuePair型からキーもしくは値を取り出す
キーを取り出す場合は「変数名.Key」、値を取り出す場合は「変数名.Value」と書きます。

サンプルファイル ▶ list¥chapter7¥list7-4.txt

Step 06 イベントハンドラの実装〜電話番号をTextBoxに表示〜

画面左側のListBoxで名前を選択すると画面右側のTextBoxに電話番号が表示されるように、NameSelectedイベントハンドラの中身を実装しましょう。次のプログラムを入力してください。

List 7-4　電話番号の表示（Form1.cs）　　　　　　　　　　　　　　　　list7-4.txt

```
35 private void NameSelected(object sender, EventArgs e)
36 {
37     // 選択した名前に対応する電話番号を表示する
38     string name = this.nameList.Text;
39     this.phoneNumber.Text = this.phoneBook[name];
40 }
```

実行してみましょう。ListBoxに表示されている名前を選択すると、TextBoxに電話番号が表示されます。

Fig　選択した名前に対応した電話番号が表示される

 選択した名前を表示する

ListBoxから名前を選択したとき、NameSelectedイベントハンドラが呼び出されます。このイベントハンドラの中で、ListBoxで選択している人の電話番号をTextBoxに表示します。
流れとしては、

❶ListBoxで選択されている名前を取得し、

❷電話帳から対応する電話番号を取得します。

❸その電話番号をTextBoxに表示します。

38行目ではListBoxで選択された名前をListBoxのTextプロパティで取得し、name変数に代入しています（❶）。

39行目の右辺では選択された名前をキーにして、対応する電話番号をphoneBook変数から取得しています。Dictionaryから値を取り出すには「変数名[キー]」と書くのでした。ここでは「phoneBook[name]」と書いて、名前に対応する電話番号の値を取り出しています（❷）。

取り出した電話番号は、TextBox（変数名はphoneNumber）のTextプロパティに代入してフォーム画面に表示しています（❸）。

以上で、電話帳アプリケーションの作成が一通りできました。

^{step}07 ファイルから電話帳を読み込もう

　ここまでは電話帳のデータ（名前と電話番号）をプログラムの中に直に書いていました。これだと、電話帳の情報が増えるたびにプログラムに追加しなければいけません。プログラマではない人には使いづらい電話帳になってしまいますね。そこで、誰でも電話帳を更新できるように、電話帳に登録するデータはテキストファイルにしておき、プログラムから読み込むように変更します。テキストファイルなら、メモ帳で書き換えて上書き保存するだけで簡単に電話帳を更新できます。

Fig　電話帳を読み込むパターン

内部に辞書を持つ　　　　　　　　外部から辞書を読み込む

◆ 電話帳のデータファイルを作成しよう

　まずはプロジェクト内に、名前と電話番号を書いたテキストファイルを作ります。ソリューションエクスプローラーのPhoneBookの上で右クリックして、追加→新しい項目を選択してください。

　新しい項目の追加画面ですべてのテンプレートの表示ボタンをクリックし、左側の項目からC#個の項目→全般を選択し、中央に表示される項目からテキストファイルを選択してください。ファイル名に「data.txt」と入力して追加ボタンをクリックすると、プログラムと同じフォルダーに「data.txt」が追加されます。

Fig　テキストファイルの追加

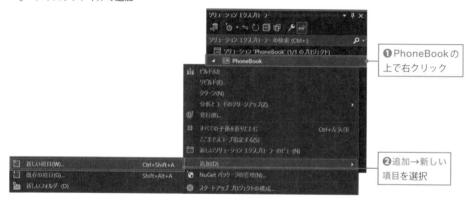

❸すべてのテンプレートの表示をクリック

❹C#個の項目→全般を選択

❺テキストファイルを選択

❻data.txtと入力

❼追加をクリック

作成した「data.txt」ファイルが開いたら、以下のようにデータを入力してください。

浦島太郎, xxx-9393-5421

浦島次郎, xxx-8823-1356

浦島三郎, xxx-7793-3588

浦島史郎, xxx-6693-2535

「data.txt」への入力が終わったら、メニューバーからファイル→data.txtの保存を選択（または Ctrl + S キーを入力）して保存してください。

Fig テキストファイルを保存する

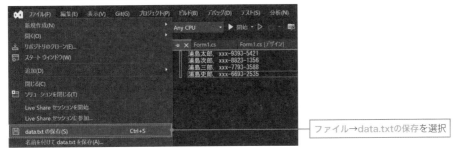

ファイル→data.txtの保存を選択

ここでは「名前, 電話番号」の順番で1人につき1行のデータを入力しています。「,」で区切って
データを書いていく形式は、プログラムで比較的読み取りやすく、人にとっても見やすいのでよく
使われます。このように各項目を「,」で区切ったフォーマットをCSV形式と呼びます。

ファイルが開かない場合は

テキストファイルが開かなかったり、間違って閉じてしまったりした場合は、ウィンドウ右側の
ソリューションエクスプローラーから該当のファイルをダブルクリックして開いてください。

◆ テキストファイルを読み込むプログラムの作成

いま作成した「data.txt」を読み込み、電話帳に追加するプログラムを作りましょう。Form1.csを
開き、次のプログラムを入力してください。

List 7-5　テキストファイルからデータを読み込む（Form1.cs）　　　　　　　　⬇ list7-5.txt

```
 1 using System;
 2 using System.Collections.Generic;
 3 using System.ComponentModel;
 4 using System.Data;
 5 using System.Drawing;
 6 using System.Linq;
 7 using System.Text;
 8 using System.Threading.Tasks;
 9 using System.Windows.Forms;
10
11 namespace PhoneBook
12 {
13     public partial class Form1 : Form
14     {
15         Dictionary<string, string> phoneBook;
16
17         public Form1()
18         {
19             InitializeComponent();
20
21             // 電話帳に名前を登録する
22             this.phoneBook = new Dictionary<string, string>();
23
24             // ファイルからデータを読み込む
25             ReadFromFile();
26
```

```
27                    // リストに名前を表示する
28                    foreach (KeyValuePair<string, string> data in phoneBook)
29                    {
30                        this.nameList.Items.Add(data.Key);
31                    }
32            }
33
34        private void ReadFromFile()
35        {
36            using (System.IO.StreamReader file =
37                new System.IO.StreamReader(@"..¥..¥data.txt"))
38            {
39                while (!file.EndOfStream)
40                {
41                    string line = file.ReadLine();
42                    string[] data = line.Split(',');
43                    this.phoneBook.Add(data[0], data[1]);
44                }
45            }
46        }
47
48        private void NameSelected(object sender, EventArgs e)
49        {
50            // 選択した名前に対応する電話番号を表示する
51            string name = this.nameList.Text;
52            this.phoneNumber.Text = this.phoneBook[name];
53        }
54    }
55 }
```

　実行してみてください。ファイルに記述した名前がListBoxに表示されます。名前を選択すると
電話番号も表示されます。

Fig　テキストファイル内のデータが表示されていることを確認する

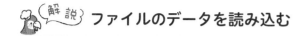

解説 ファイルのデータを読み込む

　このプログラムでは、プロジェクトに追加したテキストファイル「data.txt」の電話帳データを読み込んでphoneBook変数に追加しています。テキストファイルの電話帳を読み込む処理はReadFromFileという名前のメソッドを作って、そこにまとめています。メソッド内での処理の流れは次のようになります。

❶ ファイルから1行ずつデータを読み込む
❷ 読み込んだデータを「名前」と「電話番号」に分割する
❸ 分割したデータをキーと値にして電話帳に登録する

◆ ❶ ファイルから1行ずつデータを読み込む

　テキストファイルを読み込むにはStreamReaderクラスを使います。StreamReaderクラスは、プログラム中でテキストファイルを開いて文字を読み込む機能を持っています。
　StreamReaderクラスを使うために、36行目〜37行目（プログラムを見やすくするために途中で改行を入れています）で、StreamReaderクラスのインスタンスを作っています（この行で使用しているusingの詳しい説明は、276ページのNote「usingステートメント」で行っています）。
　StreamReaderクラスのインスタンスを作る際には、開きたいファイルの場所（パス）を指定します。「..¥」と書けば実行ファイルのあるフォルダーより1階層上のフォルダーを指定できます。今回は、実行ファイルのあるフォルダーから2階層上のフォルダーにある「data.txt」へのパスを書きたいので、「..¥..¥data.txt」と書いています。パスを指定する文字列の先頭に付いている「@」については、276ページのNote「@とは？」で説明します。

Fig　data.txtのパス

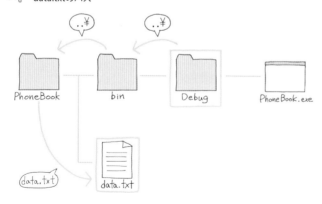

39行目～ 44行目では、指定したファイルから1行ずつデータを読み込んでいます。何行読み込むかはプログラムを作る時点でわからないので、while文を使って1行ずつ読み込んでいます。またwhile文の条件式を「!file.EndOfStream」とすることで、テキストファイルの最後の行を読み込み終えたら繰り返しを抜けるようにしています。

❷読み込んだデータを「名前」と「電話番号」に分割する

読み込んだ1行ぶんのデータは「名前, 電話番号」というひと固まりの文字列になっているので、Splitメソッドを使って名前と電話番号に分けます (42行目)。Splitメソッドは引数に与えた文字で文字列を分割します。分割された文字列は先頭から順番に、string型の配列に格納されます。

Fig　Splitメソッドで配列に分割する

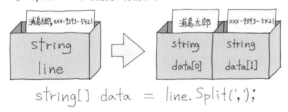

❸分割したデータをキーと値にして電話帳に登録する

43行目で、名前と電話番号をペアにしてphoneBookにデータを登録しています。
phoneBookはDictionary型なので、電話帳のデータが後から増えても問題なく登録できます。

usingステートメント

テキストファイルに関する処理を終えたら、ファイルを閉じる必要があります。ファイルを開いたままだと、次に誰かがプログラムから同じファイルを開こうとしたときに「既に開いています」というエラーが出るなど、問題が起こる可能性があるためです。List 7-5では、読み込む処理が終わったら確実にテキストファイルを閉じるために、ファイルの読み込みの処理をusingステートメントで囲っています。

usingに続く()の中でStreamReaderクラスのインスタンスを作成すると、usingのブロックを抜けるタイミングで、StreamReaderクラスが開いたファイルを必ず閉じてくれます。名前空間を宣言するときに使うusingと、ファイルを読み込むときに使うusingの役割は違うので注意してください。

また、List 7-5ではStreamReaderの前に「System.IO;」を付けていますが、「using System.IO;」と書いて名前空間を宣言しておけば、「System.IO;」は書かなくても大丈夫です。

「@」とは？

List 7-5では、StreamReaderクラスのインスタンス作成時に指定したファイルパスの文字列の前に「@」が付いています。@を付けた文字列は、特殊な記号を使っていない文字列として扱われます。通常、文字列内に「¥」が含まれていると、「¥」と直後の英数字を合わせてエスケープシーケンスだと見なされますが、@を付けた文字列であれば、「¥」は通常の円マークと見なされるので、パスを指定する場合によく使われます。

Table　エスケープシーケンスの例

エスケープシーケンス	意味
¥b	Backspace
¥n	改行
¥t	水平タブ

7-3

天気予報アプリ
～ウェブから情報を取得する～

　ここで作成するのは、都道府県を選択するとその地域の天気を表示するアプリケーションです。選択した地域の天気情報をウェブから取得し、天気のアイコン画像を表示します。また、メニューバーの作成方法も説明します。アプリケーションのイメージは次の図のようになります。このサンプルを通じて、ウェブからデータを取得してプログラム内で利用する方法を学んでいきましょう。

Fig　天気予報アプリのイメージ

 天気予報アプリの作成手順

　これまでと同様、次の3つの手順でアプリケーションの設計を進めます。

Windowsアプリケーションの作成手順

手順1 コントロールをフォーム上に配置する

手順2 コントロールにイベントハンドラを追加する

手順3 入力に応じた処理をイベントハンドラに書く

◆ 手順① コントロールをフォーム上に配置する

　天気予報アプリの画面イメージを見ながら、配置するコントロールを考えます。ここでは、地域を選択するためのコンボボックス（ComboBox）、天気のアイコンを表示するためのピクチャーボックス（PictureBox）、「都道府県を選択」と表示するラベル（Label）が必要になります。メニューバーに関しては295ページで追加するので、ここでは考慮せずにおきましょう。

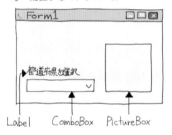

♦ 手順② コントロールにイベントハンドラを追加する

コンボボックスから都道府県を選択すると、その地域の天気アイコンをピクチャーボックスに表示します。都道府県が選択されたことを検知するため、コンボボックスにイベントハンドラを追加します。

Fig　追加するイベントハンドラ

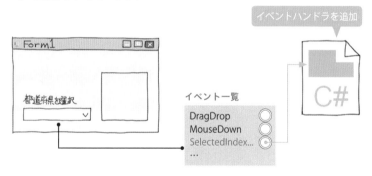

♦ 手順③ 入力に応じた処理をイベントハンドラに書く

選択した都道府県の天気をウェブで調べ、取得した天気情報をピクチャーボックスにアイコンで表示するプログラムをイベントハンドラに書きます。

Fig　イベントハンドラに処理を書く

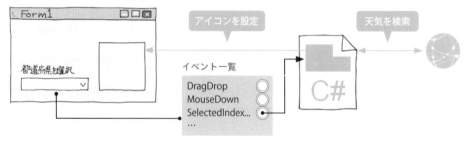

step 01 プロジェクトを作成しよう

天気予報アプリ用のプロジェクトを作成しましょう。Visual Studioの起動画面から新しいプロジェクトの作成を選択します（既にVisual Studioを開いている場合はメニューバーからファイル→新規作成→プロジェクトを選択してください）。

Fig　プロジェクトの作成①

新しいプロジェクトの作成を選択

新しいプロジェクト作成画面が表示されます。画面右側からWindowsフォームアプリケーション（.NET Framework）を選択して、次へボタンをクリックしてください。

Fig　プロジェクトの作成②

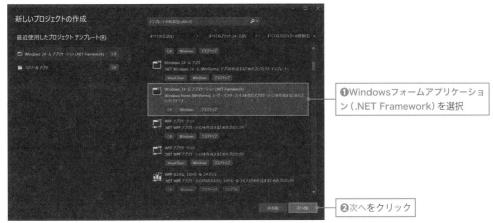

❶Windowsフォームアプリケーション（.NET Framework）を選択

❷次へをクリック

ここではプロジェクト名を「WeatherChecker」としましょう。プロジェクトを保存する場所（任意）を指定して、作成ボタンをクリックしてください。

Fig　プロジェクトの名前と保存場所を設定する

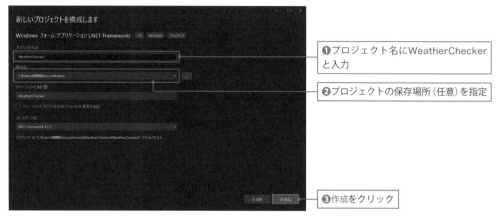

❶プロジェクト名にWeatherChecker
と入力

❷プロジェクトの保存場所（任意）を指定

❸作成をクリック

Step 02　コントロールを配置しよう

　今回作成するアプリケーションは、横長のフォームにコントロールを配置します。Form1の右下の端をドラッグしてフォームを横に広げましょう。

Fig　フォームのサイズを変更する

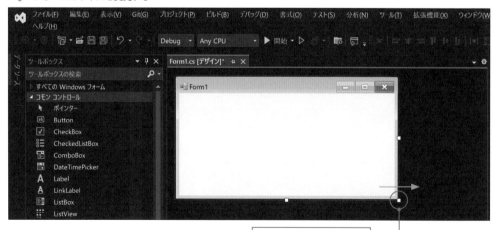

ドラッグしてサイズを調整

使用するコントロールをフォーム上に配置します。今回はComboBox、PictureBox、Labelを配置します。

♦ ComboBoxを配置する

都道府県を選択するComboBoxをフォーム上に配置しましょう。ツールボックスのコモンコントロールからComboBoxをフォーム上にドラッグ＆ドロップして図のようにサイズを調整してください。また、プロパティウィンドウの「(Name)」欄に「areaBox」と入力してください。

Fig ComboBoxを配置する

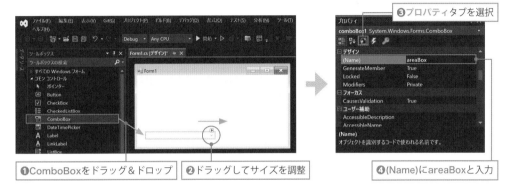

❶ComboBoxをドラッグ＆ドロップ　❷ドラッグしてサイズを調整　❸プロパティタブを選択　❹(Name)にareaBoxと入力

♦ PictureBoxを配置する

ComboBoxの右側に、天気のアイコンを表示するPictureBoxを配置します。フォーム上に画像ファイルを表示する場合は、基本的にPictureBoxを使用します。

ツールボックスからPictureBoxをドラッグ＆ドロップしてください。また、プロパティウィンドウの「(Name)」の欄に「weatherIcon」と入力してください。

Fig PictureBoxを配置する

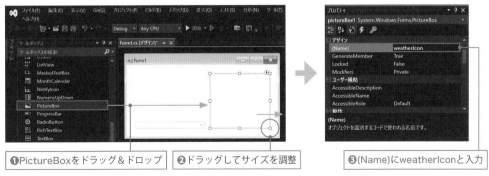

❶PictureBoxをドラッグ＆ドロップ　❷ドラッグしてサイズを調整　❸(Name)にweatherIconと入力

プロパティウィンドウの「SizeMode」欄を「StretchImage」に設定してください。Size
Modeプロパティが「Normal」の場合、PictureBoxの大きさにかかわらず画像のオリジナ
ルサイズで表示されます。「StretchImage」にすると、PictureBoxのサイズに合うように
画像の大きさが変化します。

Fig　PictureBoxのSizeModeプロパティを設定する

Fig　SizeModeの違い

◆ Labelを配置する

ユーザーに都道府県の選択をうながすラベルを配置しましょう。ツールボックスからLabelをド
ラッグ＆ドロップし、ComboBoxの上側に配置してください。また、プロパティウィンドウの
「Text」欄に「都道府県を選択」と入力してください。Labelはプログラムから変更する予定はないの
で、Nameプロパティは指定しません。

Fig　Labelを配置する

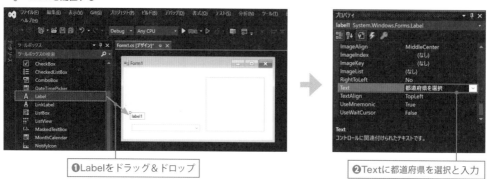

❶Labelをドラッグ＆ドロップ　　❷Textに都道府県を選択と入力

全てのコントロールが配置できたので、一度実行してみましょう。

Fig　アプリケーションを実行する

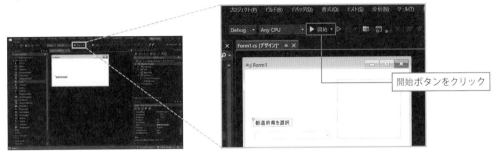

開始ボタンをクリック

Fig　アプリケーションの実行画面

Step 03　イベントハンドラを設定しよう

ComboBoxから都道府県を選択したときに天気情報を取得したいので、ComboBoxにイベントハンドラを追加します。ComboBoxのアイテムが選択されるとSelectedIndexChangedというイベントが発生します。このイベントにCitySelectedという名前のイベントハンドラを追加しましょう。

Fig　イベントハンドラ追加

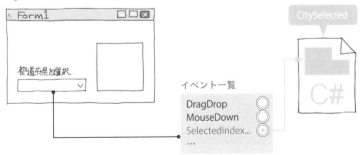

フォーム上のComboBoxを選択し、プロパティウィンドウのイベントタブをクリックします。表示されるイベントの中から「SelectedIndexChanged」欄を探し、「CitySelected」と入力してEnterキーを押してください。Form1.csファイルにCitySelectedイベントハンドラが追加されます。

Fig　イベントハンドラを追加する

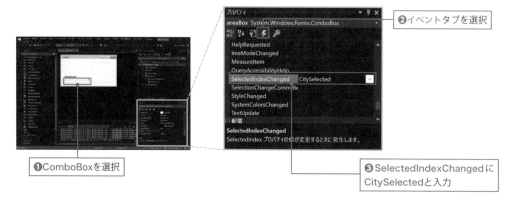

❶ComboBoxを選択
❷イベントタブを選択
❸SelectedIndexChangedにCitySelectedと入力

サンプルファイル ▶ list¥chapter7¥list7-6.txt

Step 04　イベントハンドラの実装〜都道府県の辞書の作成〜

追加したイベントハンドラの中身を実装しましょう。

ComboBoxで選択した都道府県の天気をウェブから取得し、天気アイコンをPictureBoxに表示するプログラムを作ります。今回使用する天気情報サービスは、都市コードを送るとその地域の天気情報を返してくれるサービスになります（これは著者が作成したダミーサービスなので、実際の天気ではありません）。次の流れでプログラムを作っていきましょう。

❶都道府県名と都道府県コードの辞書を作る
❷ComboBoxで選択した都道府県の天気情報をウェブサイトから取得する
❸天気情報を解析して天気アイコンを表示する

　都道府県名と都道府県コードの辞書を作り、都道府県名の一覧をComboBoxに表示しましょう。
都道府県名と都道府県コードの組み合わせは次の表のようになっています。

Table　都道府県名と都道府県コード

都道府県名	都道府県コード	都道府県名	都道府県コード
大阪府	1	石川県	7
愛知県	2	広島県	8
東京都	3	高知県	9
宮城県	4	福岡県	10
北海道	5	鹿児島県	11
新潟県	6	沖縄県	12

　次のプログラムは、都道府県名と都道府県コードの辞書を作り、ComboBoxに都道府県名を表示し
ています。ここでは例として4つの地域を追加しましたが、お好きな都道府県とコードのペアを追
加して構いません。Form1.csを開いて、実際に入力してみましょう。

List 7-6　辞書の作成と表示 (Form1.cs)　　　　　　　　　　　　　　　　　　　　🔽 list7-6.txt

```
1  using System;
2  using System.Collections.Generic;
3  using System.ComponentModel;
4  using System.Data;
5  using System.Drawing;
6  using System.Linq;
7  using System.Text;
8  using System.Threading.Tasks;
9  using System.Windows.Forms;
10
```

```
11    namespace WeatherChecker
12    {
13        public partial class Form1 : Form
14        {
15            Dictionary<string, string> cityNames;
16
17            public Form1()
18            {
19                InitializeComponent();
20
21                this.cityNames = new Dictionary<string, string>();
22
23                this.cityNames.Add("東京都", "3");
24                this.cityNames.Add("大阪府", "1");
25                this.cityNames.Add("愛知県", "2");
26                this.cityNames.Add("福岡県", "10");
27
28                foreach (KeyValuePair<string, string> data in this.cityNames)
29                {
30                    areaBox.Items.Add(data.Key);
31                }
32            }
33
34            private void CitySelected(object sender, EventArgs e)
35            {
36
37            }
38        }
39    }
```

　プログラムが書けたら、一度実行してみましょう。ComboBoxをクリックすると都道府県名の
ドロップダウンリストが表示されます。

Fig　ComboBoxに都道府県名が表示される

解説 ComboBoxに項目を追加する

　List 7-6のプログラムでは都道府県名と都道府県コードの辞書を作って、都道府県名のリストを表示しています。この処理は7-2節の電話帳アプリで作った「名前と電話番号の辞書を作って、名前のリストを表示する」処理とほぼ同じです。

　21行目〜26行目では、都道府県名と都道府県コードのペアを保持するDictionary型のcityNames変数を作成し、そこにデータを追加しています。

　28行目から31行目のforeach文では、都道府県名をComboBoxに表示するため、cityNames変数から都道府県名を1つずつ取り出して、ComboBox（変数名はareaBox）のItemsプロパティに追加しています。都道府県名はDictionaryから取り出したKeyValuePair型のKeyに当たるので、「data.key」と書いて取り出しています。

サンプルファイル ▶ list¥chapter7¥list7-7.txt

Step 05 イベントハンドラの実装〜ウェブからデータを取得〜

　続いて、ウェブサイトに「○○の天気を教えて」というリクエスト（処理の要求）を送ります。ウェブサイトにリクエストを送るには、HttpClientクラスを使います。今回は、次のURLにアクセスします。「都道府県コード」の部分には天気を知りたい都道府県のコードを書きます。

https://and-idea.sbcr.jp/sp/90261/weatherCheck.php?city=都道府県コード

　次のプログラムは、ComboBoxで選択された都道府県名に対応する都道府県コードを辞書から取得し、ウェブサイトにリクエストを送る処理を追加しています。追加部分を入力しましょう。

List 7-7　コードへの変換とリクエストの送付（Form1.cs）　　　　　　↓ list7-7.txt

```
 1 using System;
 2 using System.Collections.Generic;
 3 using System.ComponentModel;
 4 using System.Data;
 5 using System.Drawing;
 6 using System.Linq;
 7 using System.Text;
 8 using System.Threading.Tasks;
 9 using System.Windows.Forms;
10 using System.Net.Http;
11
12 namespace WeatherChecker
```

```
13 {
14     public partial class Form1 : Form
15     {
16         Dictionary<string, string> cityNames;
17
18         public Form1()
19         {
20             InitializeComponent();
21
22             this.cityNames = new Dictionary<string, string>();
23
24             this.cityNames.Add("東京都", "3");
25             this.cityNames.Add("大阪府", "1");
26             this.cityNames.Add("愛知県", "2");
27             this.cityNames.Add("福岡県", "10");
28
29             foreach (KeyValuePair<string, string> data in this.cityNames)
30             {
31                 areaBox.Items.Add(data.Key);
32             }
33         }
34
35         private void CitySelected(object sender, EventArgs e)
36         {
37             // 天気情報サービスにアクセスする
38             string cityCode = cityNames[areaBox.Text];
39             string url =
40                 "https://and-idea.sbcr.jp/sp/90261/weatherCheck.php?city=" +
41                 cityCode;
42             HttpClient client = new HttpClient();
43             string result = client.GetStringAsync(url).Result;
44         }
45     }
46 }
```

　38行目ではComboBoxで選択されている都道府県名を「areaBox.Text」で取得し、その都道府県名をキーにしてcityNamesの辞書から都道府県コードを取り出しています。

　39行目〜41行目では得られた都道府県コードを、天気情報サービスのURLの後ろに繋げています。

　42行目〜43行目では、HttpClientクラスのGetStringAsyncメソッドを使ってWebサイトにアクセスし、返ってきた情報をResultプロパティで取得してresult変数に代入しています。Resultプロパティは、URLにアクセスして得られた値が格納されています。

HttpClientクラスはSystem.Net.Http名前空間に含まれています。「`System.Net.Http.HttpClient`」と書かずにクラスを使うために、10行目に「`using System.Net.Http;`」を追加しています。

サンプルファイル ▶ list¥chapter7¥list7-8.txt

step 06 イベントハンドラの実装〜天気情報を解析する〜

Webサイトから返ってきた値を解析し、そこから天気アイコン情報を取り出してフォーム上に表示します。どのような情報が返ってきているのかを一度見ておきましょう。ブラウザで次のURL（東京の天気のリクエスト）にアクセスしてみてください。

https://and-idea.sbcr.jp/sp/90261/weatherCheck.php?city=3

リクエスト結果は次の図のようになります（リクエスト結果の表示はブラウザによって異なります。次の図はEdgeを使った場合のアクセス結果です）。このリクエスト結果はJSON（JavaScript Object Notation）という形式で書かれています。黄色で示した部分が表示したい天気アイコンのURLになります。ただ、この結果を解析してアイコンのURLを取り出すプログラムを書くのは少し手間がかかりそうですね。

Fig　URLへのアクセス結果

このリクエストのように有名な形式で書かれているものは、誰かが解析用のパッケージを作っていることが多いです。JSONを解析するパッケージを探して使ってみましょう。

他の人が作ったパッケージを使いたい場合、NuGetという便利な機能があります。NuGetはパッケージ管理システムです。NuGetを使うと公開されているパッケージを探してダウンロードできます。

NuGetを利用するにはメニューバーからツール→NuGetパッケージマネージャー→ソリューションのNuGetパッケージの管理を選択します。

Fig　NuGetの利用①

ツール→NuGetパッケージマネージャー→ソリューション
のNuGetパッケージの管理を選択

　次の図がNuGetパッケージの管理画面です。画面左上の参照を選択し、検索欄に「json」と入力
してjson関連のパッケージを検索し、検索結果の中から「Newtonsoft.Json」を探してクリック
してください。「Newtonsoft.Json」はJSON形式で書かれたデータを解析するパッケージです。
　また、パッケージをインストールするプロジェクトを選択するために、画面右側のWeather
Checkerプロジェクトにチェックを入れ、インストールボタンをクリックしてください。

Fig　NuGetの利用②

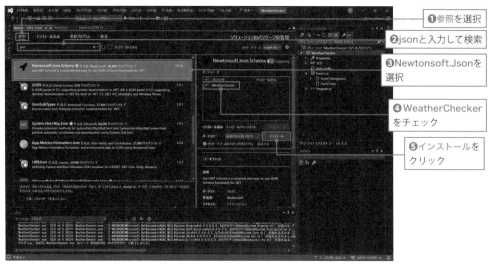

❶参照を選択

❷jsonと入力して検索

❸Newtonsoft.Jsonを
選択

❹WeatherChecker
をチェック

❺インストールを
クリック

次のようなダイアログが表示されるので適用ボタンをクリックしてください。出力ウィンドウに「======終了=======」と表示されたらインストール完了です（出力ウィンドウが表示されていない場合は、画面下の出力タブをクリックすると表示できます）。

Fig　NuGetの利用③

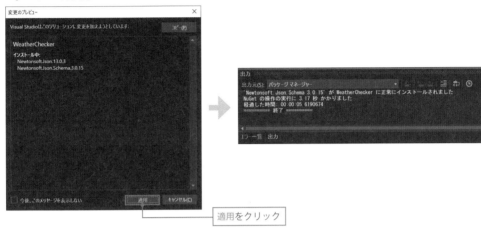

適用をクリック

これで、JSONの解析ライブラリがインストールされて利用できるようになりました。次のプログラムはウェブから取得したJSONの文字列を解析し、天気アイコンを表示するものです。先ほどのプログラムに追加で入力してください。

List 7-8　文字列の解析とアイコンの取得　　　　　　　　　　　　　　　　　　　　⬇ list7-8.txt

```
 1 using System;
 2 using System.Collections.Generic;
 3 using System.ComponentModel;
 4 using System.Data;
 5 using System.Drawing;
 6 using System.Linq;
 7 using System.Text;
 8 using System.Threading.Tasks;
 9 using System.Windows.Forms;
10 using System.Net.Http;
11 using Newtonsoft.Json.Linq;
12
13 namespace WeatherChecker
14 {
15     public partial class Form1 : Form
16     {
17         Dictionary<string, string> cityNames;
18
```

```
19      public Form1()
20      {
21          InitializeComponent();
22
23          this.cityNames = new Dictionary<string, string>();
24
25          this.cityNames.Add("東京都", "3");
26          this.cityNames.Add("大阪府", "1");
27          this.cityNames.Add("愛知県", "2");
28          this.cityNames.Add("福岡県", "10");
29
30          foreach (KeyValuePair<string, string> data in this.cityNames)
31          {
32              areaBox.Items.Add(data.Key);
33          }
34      }
35
36      private void CitySelected(object sender, EventArgs e)
37      {
38          // 天気情報サービスにアクセスする
39          string cityCode = cityNames[areaBox.Text];
40          string url =
41              "https://and-idea.sbcr.jp/sp/90261/weatherCheck.php?city=" +
42              cityCode;
43          HttpClient client = new HttpClient();
44          string result = client.GetStringAsync(url).Result;
45
46          // 天気情報からアイコンのURLを取り出す
47          JObject jobj = JObject.Parse(result);
48          string todayWeatherIcon = (string)((jobj["url"] as JValue).Value);
49          weatherIcon.ImageLocation = todayWeatherIcon;
50      }
51  }
52 }
```

実行してみて正しく動作するか確認してみましょう。

Fig　選択した都道府県の天気アイコンが表示される

解説 ウェブから取得した天気情報を解析する

　JSONのデータを解析するために、先ほどインストールしたNewtonsoft.Jsonパッケージを使っています。11行目では、「using Newtonsoft.Json.Linq;」を追加しています。新しくインストールしたパッケージを使う場合は、このようにusingの追加が必要になります。

　47行目〜49行目では、インストールしたパッケージが提供する機能を使って、お天気アイコンのURLを取り出しています（パッケージの詳しい使い方は配布元サイトを参考にしてください）。47行目ではParseメソッドの引数にresult変数を渡してJSON形式のデータを解析し、JObject型のjobj変数に代入しています。

　48行目では、jobj変数から天気アイコンの情報を取り出しています。[]の中にJSONから取り出したい項目のキー（ここではurl）を指定することで、キーに対応する値（ここでは天気アイコンの情報）を取り出せます。49行目ではPictureBoxのImageLocationプロパティに天気アイコンのURLを指定し、フォーム上に表示しています。

　なお、使用する天気情報サービスで表示される各地の天気は次のようになります。

Fig　各地の天気情報

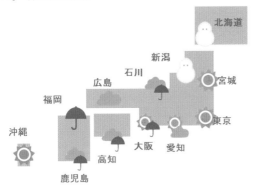

🫙 パッケージ

　パッケージとはライブラリや設定ファイル、ドキュメントなどをひとまとめにしたものです。自分で1から作るとなると大変そうな処理も、パッケージを利用することで楽になる場合もあります。

7

7-3
▼
天気予報アプリ〜ウェブから情報を取得する〜

293

step 07 フォームの背景色を変えよう

天気アイコンの背景が白色なのに対してウィンドウの背景がグレーなのでアイコンが浮いています。違和感があるので、フォームの背景色を変更して白色に揃えておきましょう。

WindowsフォームデザイナーでForm1を選択し、プロパティウィンドウから「BackColor」欄を「Window」に設定してください。BackColorプロパティでは、背景色を変更できます。

Fig ウィンドウの背景色を選択する

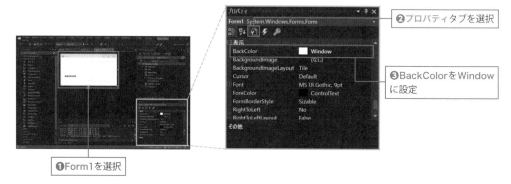

もう一度実行してみてウィンドウの背景色が白色になることを確認しておきましょう。

Fig 実行して背景色を確認する

08 メニューバーを付けてみよう

最後に、ウィンドウの上部にメニューバーを付けます。ここでは天気予報のアプリケーションを終了するための「終了」メニューを追加します。

他のコントロールと同様、メニューバーもツールボックスからドラッグ＆ドロップして配置します。ツールボックスのメニューとツールバーからMenuStripをフォーム上にドラッグ＆ドロップしてください。

Fig　メニューバーを配置する

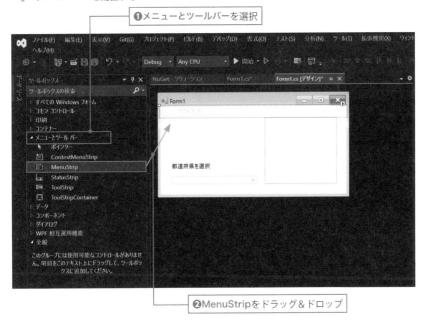

フォーム上部の「ここへ入力」と書かれた欄に「**ファイル**」と入力し、その下のドロップダウンメニューに「**終了**」と入力します。

Fig　メニュー項目を設定する

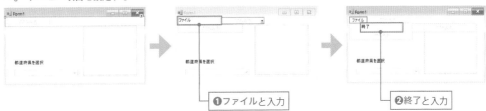

メニューバーのアイテムがクリックされると、Clickイベントが発生します。そこで、「終了」の
Clickイベントにイベントハンドラを追加し、その中でアプリケーションの終了処理を行いましょ
う。フォーム上の「終了」部分を選択した状態で、プロパティウィンドウのイベントタブを選択し、
「Click」欄に「ExitMenuClicked」と入力してEnterキーを押してください。

Fig　イベントハンドラを追加する

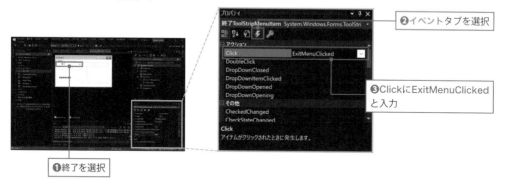

　「終了」を選択したらアプリケーションを終了したいので、追加したイベントハンドラ内にはア
プリケーションを閉じる処理を書きます。Form1.csを開き、次のプログラムを追加してください。

List 7-9　「終了」メニューの処理（Form1.cs）　　　　　　　　　　　　　　　　　　　　　　list7-9.txt

```
 1 using System;
 2 using System.Collections.Generic;
 3 using System.ComponentModel;
 4 using System.Data;
 5 using System.Drawing;
 6 using System.Linq;
 7 using System.Text;
 8 using System.Threading.Tasks;
 9 using System.Windows.Forms;
10 using System.Net.Http;
11 using Newtonsoft.Json.Linq;
12
13 namespace WeatherChecker
14 {
15     public partial class Form1 : Form
16     {
17         Dictionary<string, string> cityNames;
18
```

```
19        public Form1()
20        {
21            InitializeComponent();
22
23            this.cityNames = new Dictionary<string, string>();
24
25            this.cityNames.Add("東京都", "3");
26            this.cityNames.Add("大阪府", "1");
27            this.cityNames.Add("愛知県", "2");
28            this.cityNames.Add("福岡県", "10");
29
30            foreach (KeyValuePair<string, string> data in this.cityNames)
31            {
32                areaBox.Items.Add(data.Key);
33            }
34        }
35
36        private void CitySelected(object sender, EventArgs e)
37        {
38            // 天気情報サービスにアクセスする
39            string cityCode = cityNames[areaBox.Text];
40            string url =
41                "https://and-idea.sbcr.jp/sp/90261/weatherCheck.php?city=" +
42                cityCode;
43            HttpClient client = new HttpClient();
44            string result = client.GetStringAsync(url).Result;
45
46            // 天気情報からアイコンのURLを取り出す
47            JObject jobj = JObject.Parse(result);
48            string todayWeatherIcon = (string)((jobj["url"] as JValue).Value);
49            weatherIcon.ImageLocation = todayWeatherIcon;
50        }
51
52        private void ExitMenuClicked(object sender, EventArgs e)
53        {
54            // フォームを閉じる
55            this.Close();
56        }
57    }
58 }
```

プログラムからアプリケーションを終了するため、**Form**クラスの**Close**メソッドを使っています。「this.Close();」とすることで、現在開いているウィンドウ（フォーム）を閉じています。

　プログラムを実行して、メニューバーからアプリケーションを終了できるか確かめてください。

Fig　「終了」メニューで終了できるか確認する

　このサンプルではComboBoxの使い方、NuGetで公開されているパッケージをダウンロードして自分のプログラムに使う方法、MenuStripによるメニューバーの作り方を学びました。実際の開発でも他の人が作ったクラスを利用することはよくあります。公開されているパッケージをうまく使えるようになると便利です。

7-4

書籍管理アプリ
〜表形式でデータを管理する〜

　7-4節では、購入予定の本をメモしておくアプリケーションを作ります。書名、著者、値段を入力して登録ボタンを押すと、アプリ画面の表に書籍情報が追加されます。また、表を選択した状態で削除ボタンを押すと、選択中の書籍情報を消すことができます。書籍管理アプリのイメージは次の図のようになります。このサンプルを通じて、データグリッドビューを使った表形式のデータ管理の方法を学びましょう。

Fig　書籍管理アプリのイメージ

 書籍管理アプリの作成手順

　これまでのように、次の3つの手順でアプリケーションの設計を進めます。

Windowsアプリケーションの作成手順

手順1 コントロールをフォーム上に配置する

手順2 コントロールにイベントハンドラを追加する

手順3 入力に応じた処理をイベントハンドラに書く

♦ 手順① コントロールをフォーム上に配置する

　書籍管理アプリの完成イメージを見ながら、配置するコントロールを考えます。ここでは書籍データを表形式で表示するためのデータグリッドビュー（DataGridView）、書名と著者名を入力するテキストボックス（TextBox）を2つ、値段を入力するマスクドテキストボックス（MaskedTextBox）を1つ、「書名」「著者」「値段」のラベル（Label）を3つ、「登録」と「削除」のボタン（Button）を2つ配置します。

　値段を入力するコントロールには、数値以外の値を入力できないようにするため、通常のテキストボックスではなく、マスクドテキストボックスを使います。

Fig　配置するコントロール

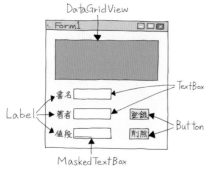

♦ 手順② コントロールにイベントハンドラを追加する

　登録ボタンが押されたら書籍情報をデータグリッドビューに追加するため、登録ボタンのClickイベントにイベントハンドラを追加します。また、削除ボタンを押したときにデータグリッドビューから書籍情報を削除するので、削除ボタンのClickイベントにもイベントハンドラを追加します。

Fig　追加するイベントハンドラ

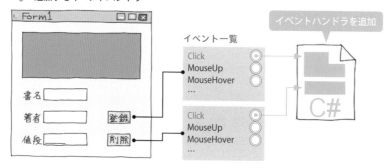

◆ 手順③ 入力に応じた処理をイベントハンドラに書く

登録ボタンのイベントハンドラには、テキストボックスとマスクドテキストボックスに入力されている書籍のデータをデータグリッドビューに追加する処理を書きます。また削除ボタンのイベントハンドラには、データグリッドビューで選択している行のデータを削除する処理を書きます。

Fig　イベントハンドラに処理を書く

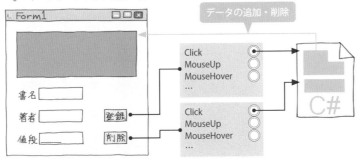

step 01　プロジェクトを作成しよう

書籍管理アプリ用のプロジェクトを新規に作成しましょう。Visual Studioの起動画面から新しいプロジェクトの作成を選択してください（既にVisual Studioを開いている場合はメニューバーからファイル→新規作成→プロジェクトを選択してください）。

Fig　プロジェクトの作成①

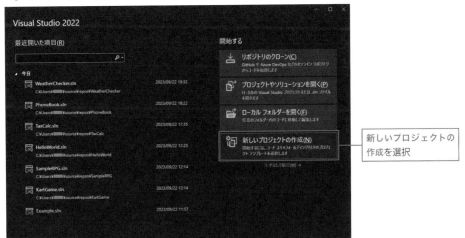

新しいプロジェクトの
作成を選択

新しいプロジェクトの作成画面が表示されます。画面右側からWindowsフォームアプリケーション（.NET Framework）を選択して、次へボタンをクリックしてください。

Fig　プロジェクトの作成②

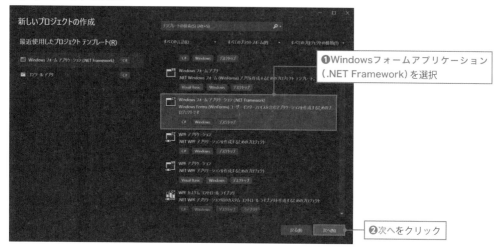

ここではプロジェクト名を「BookManager」としましょう。プロジェクトを保存する場所（任意）を指定して、作成ボタンをクリックしてください。

Fig　プロジェクトの名前と保存場所を設定する

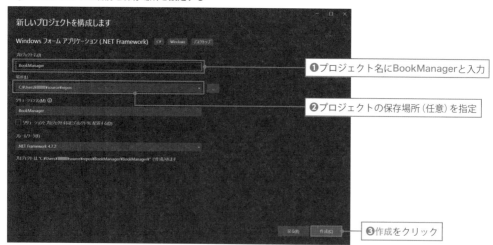

コントロールを配置しよう

今回はフォームのサイズを全体的に少し大きくします。Form1の端をドラッグして広げてください。

Fig　フォームのサイズを変更する

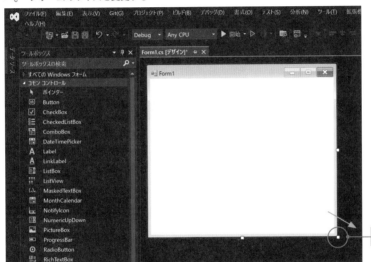

ドラッグしてサイズを調整

使用するコントロールを配置していきます。今回はDataGridView、TextBox、MaskedText Box、LabelとButtonを配置します。

◆ DataGridViewを配置する

書籍情報を表示するDataGridViewをフォームの上部に配置しましょう。ツールボックスのデータからDataGridViewをフォーム上にドラッグ＆ドロップしてください。その際に「DataGridViewタスク」という画面が開きますが、今は設定しないので、フォーム上の適当な部分をクリックして閉じておいてください。

Fig　DataGridViewを配置する

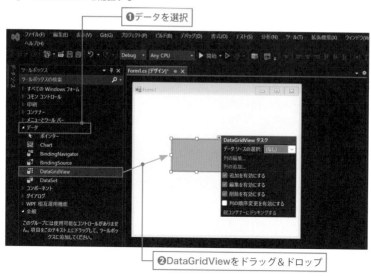

❶データを選択

❷DataGridViewをドラッグ＆ドロップ

　DataGridViewの位置と大きさを次の図のように調整した後、プロパティウィンドウの**プロパティ**タブをクリックし、「(Name)」欄に「**bookDataGrid**」と入力してください。

Fig　DataGridViewのサイズと名前を設定する

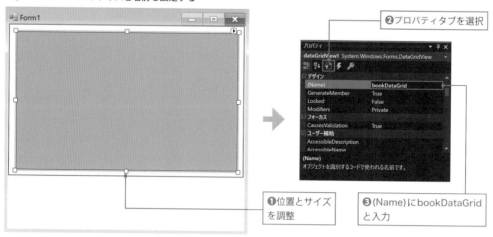

❷プロパティタブを選択

❶位置とサイズを調整

❸(Name)にbookDataGridと入力

♦ Labelを配置する

　Labelを3つ配置します。ツールボックスからLabelをフォーム上に3回ドラッグ＆ドロップし、次の図のように配置してください。続けて、上のLabelから順番に、プロパティウィンドウの「Text」欄にそれぞれ「書名」「著者」「値段」と入力してください。Labelはプログラムで変更することはないので、Nameプロパティは特に設定しません。

Fig　Labelを配置する

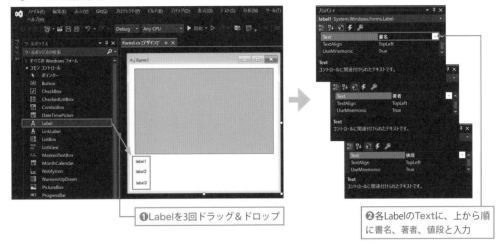

❶Labelを3回ドラッグ＆ドロップ

❷各LabelのTextに、上から順に書名、著者、値段と入力

♦ TextBoxを配置する

　続けて、書名と著者を入力するためのTextBoxを配置します。ツールボックスからTextBoxを2回ドラッグ＆ドロップし、それぞれ書名Labelと著者Labelの右側に配置してください。また、上のTextBoxから順に、プロパティウィンドウで「(Name)」欄にそれぞれ「bookName」「author」と入力してください。

Fig　TextBoxを配置する

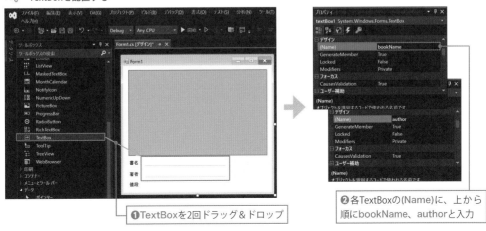

❶TextBoxを2回ドラッグ＆ドロップ

❷各TextBoxの(Name)に、上から順にbookName、authorと入力

◆ MaskedTextBoxを配置する

「値段」の入力欄には数値以外の値は入力してほしくないので、「TextBox」ではなく「MaskedTextBox」を使います。MaskedTextBoxは入力される文字列の形式を制限できます。

ツールボックスのコモンコントロールからMaskedTextBoxをドラッグ＆ドロップし、他のコントロールと揃うようにサイズを調整してください。また、プロパティウィンドウから「(Name)」欄に「price」と入力してください。

Fig MaskedTextBoxを配置する

❶MaskedTextBoxをドラッグ＆ドロップ

❷(Name)にpriceと入力

MaskedTextBoxには「5桁までの数値のみ」を入力できるようにするため、プロパティウィンドウから「Mask」欄に「00000」と入力してください。

Fig MaskedTextBoxに入力可能な値を設定する

Maskに00000と入力

♦ Buttonを配置する

「登録」と「削除」のButtonを配置します。ツールボックスからButtonをフォーム右下に2つ配置して見やすい大きさに調整してください。上のボタンを「登録」ボタン、下のボタンを「削除」ボタンにしたいので、プロパティウィンドウのそれぞれの「Text」欄に「登録」「削除」と入力してください。また、「(Name)」欄にはそれぞれ「addButton」「removeButton」と入力してください。

Fig　Buttonを配置する

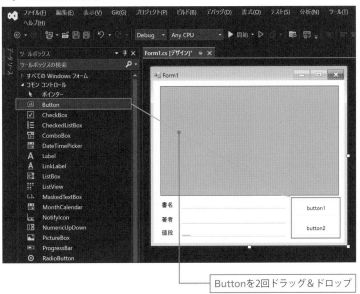

Buttonを2回ドラッグ＆ドロップ

Fig　「登録」ボタンのプロパティを設定する

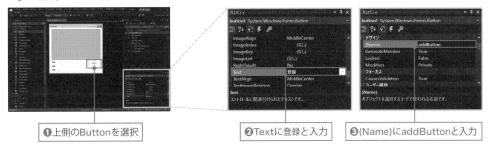

❶上側のButtonを選択　　❷Textに登録と入力　　❸(Name)にaddButtonと入力

Fig 「削除」ボタンのプロパティを設定する

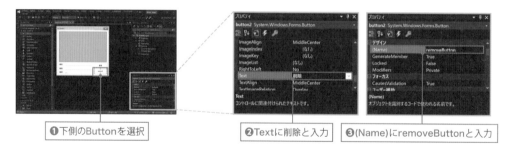

❶下側のButtonを選択　　❷Textに削除と入力　　❸(Name)にremoveButtonと入力

全てのコントロールが配置できたので、一度実行してみましょう。

Fig アプリケーションを実行する

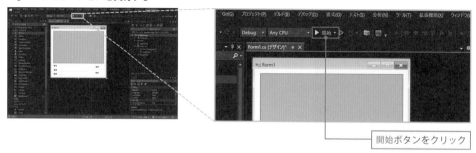

開始ボタンをクリック

Fig アプリケーションの実行画面

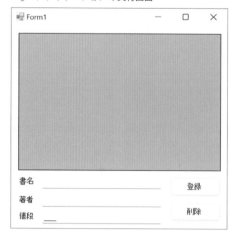

MaskedTextBox

　MaskedTextBoxは上記のように「0」を並べることで数値の桁数を指定できる他、「AAAAA」のように「A（またはa）」を5回並べれば英数字の入力を5文字までに制限できます。また、プロパティウィンドウのオプションをクリックすることで、よく使われる電話番号や郵便番号等の入力に限定することもできます。

Fig　Maskのプロパティを開く

Step 03　イベントハンドラを追加しよう

　「登録」ボタンを押したときに、入力された書名・著者・値段の情報を取得してDataGridViewに表示するために、「登録」ボタンのClickイベントに「AddButtonClicked」という名前でイベントハンドラを追加します。また、「削除」ボタンを押したときはDataGridViewで選択されている書籍データを消したいので、「削除」ボタンのClickイベントに「RemoveButtonClicked」という名前でイベントハンドラを追加します。

Fig　それぞれのイベントハンドラを追加

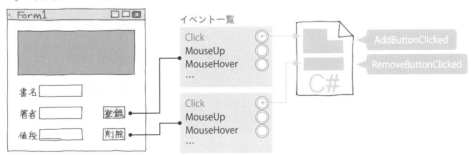

7

7-4
▼
書籍管理アプリ〜表形式でデータを管理する〜

309

「登録」のButtonを選択した状態で、プロパティウィンドウのイベントタブを選択してください。Buttonが受け取るイベントの一覧が表示されるので、「Click」欄に「AddButtonClicked」と入力して[Enter]キーを押してください。

Fig 「登録」Buttonのイベントハンドラを追加する

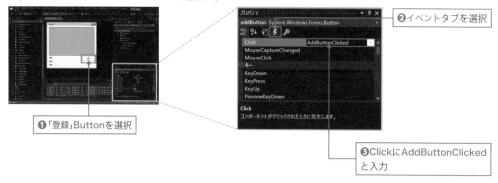

❷イベントタブを選択

❶「登録」Buttonを選択

❸ClickにAddButtonClicked
と入力

「削除」ボタンにもイベントハンドラを追加します。Form1.cs[デザイン]タブに戻って、「削除」のButtonを選択し、プロパティウィンドウの「Click」欄に「RemoveButtonClicked」と入力して[Enter]キーを押してください。

Fig 「削除」Buttonのイベントハンドラを追加する

❶Form1.cs[デザイン]を選択

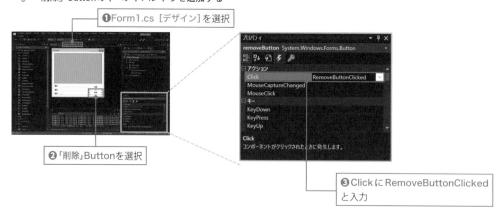

❷「削除」Buttonを選択

❸Click に RemoveButtonClicked
と入力

step 04 DataGridViewとDataSetを紐付ける

AddButtonClickedとRemoveButtonClickedイベントハンドラが追加できました。AddButton
Clickedイベントハンドラには、フォーム上のTextBoxから書名と著者、MaskedTextBoxから値段の情
報を取得してDataGridViewに表示するプログラムを書きます。TextBoxからデータを取り出す方法は
これまでにも一度説明しているので、ここではDataGridViewにデータを追加する方法を中心に説明
します。

7-2節や7-3節で使ったListBoxやComboBoxに要素を追加するときは、これらのクラスが持つ
Itemsプロパティにデータを追加しました。

Fig　Itemsプロパティ

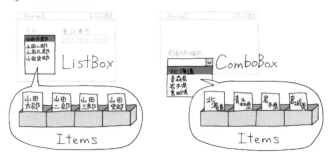

しかしDataGridViewはデータを保持するItemsのようなプロパティを持っていません。そのか
わりに、DataSetクラスを利用してデータを管理します。DataGridViewには、DataSetに追加し
た情報が表示されるようになります。

Fig　DataSetとDataGridView

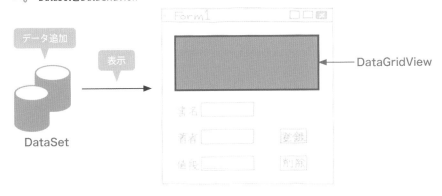

DataSetはDataTableと呼ばれるエクセルのシートのようなものを持っていて、このDataTable
にデータを追加していきます。DataTableはエクセルのシートと同じように、DataSet内に複数持
つことができます。

Fig DataSetとDataTable

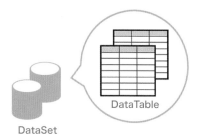

ここで出てきた用語をまとめておきましょう。下記の3つの関係は、のちのち混乱しないように
きちんと理解しておきましょう。

▶ DataGridView：データを表示するためのビュー
▶ DataSet：DataTableを保持する入れ物
▶ DataTable：データを保持するための、エクセルシートのようなもの

実際に使ってみてどんなものか理解していきましょう。ここでは、DataSet→DataTableの順番
で作り、最後にDataGridViewとDataTableを紐付けます。

♦ DataSetを作る

登録された書籍情報を保持するDataSet（上図の左の入れもの）を作成しましょう。ソリューショ
ンエクスプローラーのBookManagerを右クリックし、追加→新しい項目を選択してください。

新しい項目の追加画面の左側の項目でC#個の項目→データを選択し、中央の項目からDataSet
を選択します（これらの項目が表示されていない場合には、すべてのテンプレートの表示ボタンをク
リックしてください）。名前に「BookDataSet.xsd」と入力して、追加ボタンをクリックしてくだ
さい。

Fig DataSetの追加

❶BookManagerの
上で右クリック

❷追加→新しい項目を選択

❸C#個の項目→データを
選択

❹DataSetを選択

❺名前にBookDataSet.xsdと入力

❻追加をクリック

　BookDataSetというDataSetが作られ、データセットデザイナーが開きます。データセットデザイナーではDataSetにDataTableを追加したり、DataTableにどのような値を代入するかを視覚的に編集したりできます。

♦ DataTableを作る

続いて、書籍情報を格納するDataTableを追加しましょう。ツールボックスのデータセットにある DataTableをデータセットデザイナーにドラッグ&ドロップしてください。

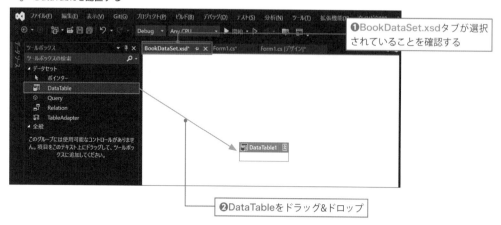

書籍情報を追加するとき、DataTableにプログラムでアクセスする必要があるので、DataTable の変数名を設定しておきましょう。データセットデザイナーに追加したDataTableを選択し、プ ロパティウィンドウの「Name」欄に「bookDataTable」と入力してください。

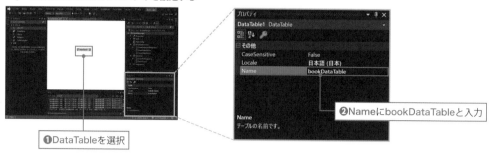

ここでもう一度、DataSetとDataTableの関係をおさらいしましょう。DataTableはエクセルシー トのようにデータを保持します。DataSetはDataTableを入れるものです。今回は、「BookDataSet」 というDataSetに「bookDataTable」というDataTableを入れています。

Fig　BookDataSetとbookDataTableの関係

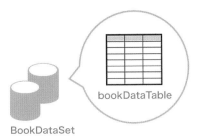

BookDataSet

bookDataTable

　DataTableには、どのようなデータを格納するのかをあらかじめ指定しておく必要があります。これはエクセルシートの列の先頭に見出しを付けるイメージです。ここでは、書名・著者・値段の見出しと、そのデータ型を指定します。

Fig　見出しとデータ型を指定する

書名(string)	著者(string)	値段（int）

　データセットデザイナー上のbookDataTableを右クリックし、追加→列を選択するとDataColumnが追加されます（ヘッダのbookDataTableの文字が編集状態だと、「追加」メニューが出てこないので注意してください）。

Fig　「書名」の列を追加する①

❶bookDataTableの上で右クリック

❷追加→列を選択

列（DataColumn1）の名前を「書名」に変更（次図のように直接入力するか、「Name」欄に「書名」と入力）してください。書名は文字列で管理したいので、プロパティウィンドウの「DataType」欄で「System.String」型になっていることを確認しましょう（デフォルトの状態で「System.String」が選択されていると思います）。

Fig 「書名」の列を追加する②

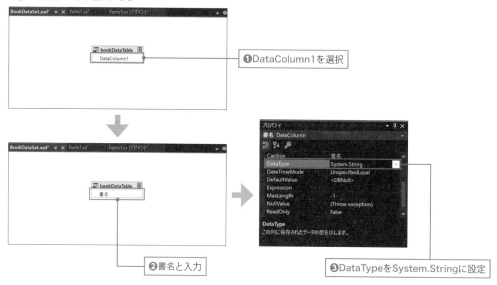

同様の手順で「著者」の列を追加します。bookDataTableを右クリックし、追加→列を選択して、列の名前を「著者」にしましょう。こちらもプロパティウィンドウの「DataType」欄が「System. String」になっていることを確認してください。

Fig 「著者」の列を追加する

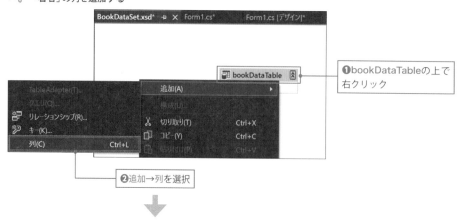

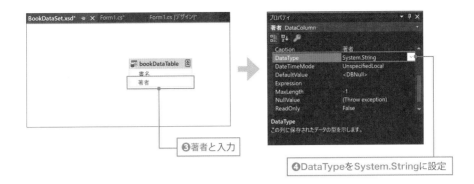

❸著者と入力

❹DataTypeをSystem.Stringに設定

「値段」の列も追加します。bookDataTableを右クリックし、追加→列を選択して列の名前を「値段」にしてください。値段はint型なので、プロパティウィンドウの「DataType」を「System.Int32」に変更しましょう。

Fig 「値段」の列を追加する

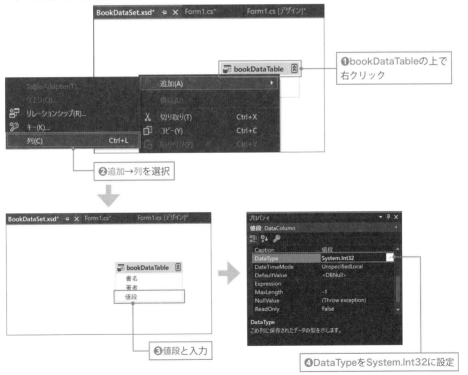

❶bookDataTableの上で右クリック

❷追加→列を選択

❸値段と入力

❹DataTypeをSystem.Int32に設定

以上で、bookDataTableに格納するデータが「書名」「著者」「値段」の3つであり、それぞれのデータ型はstring型、string型、int型であることを指定できました。

♦ DataGridViewとDataTableを関連付けよう

次は、作成したDataTableのデータをフォーム上のDataGridViewに表示するため、DataTable（bookDataTable）とDataGridView（bookDataGrid）を紐付けます。

Fig　DataTableとDataGridViewを紐付ける

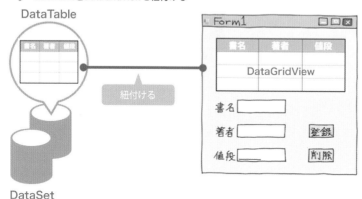

Form1.cs[デザイン]タブをクリックしてデザインフォームを開きましょう。フォーム上のDataGridViewを選択するとDataGridViewの右上に▶が表示されるのでクリックしてください。

Fig　DataGridViewとDataTableの関連付け①

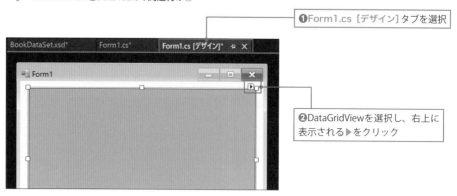

❶Form1.cs［デザイン］タブを選択

❷DataGridViewを選択し、右上に表示される▶をクリック

▶をクリックすると表示される「DataGridViewタスク」画面で、データソースの選択→他のデータソース→プロジェクトデータソース→BookDataSet→bookDataTableを選択してください（「BookDataSet」文字部分をダブルクリックで選択するのではなく、文字の先頭の「>」の部分をクリックして選択してください）。

Fig DataGridViewとDataTableの関連付け②

データソースの選択→他のデータソース→プロジェクトデータソース→BookDataSet→bookDataTableを選択

選択すると、デザインフォームのDataGridViewに「書名」「著者」「値段」の表が表示されます。

Fig DataGridViewとDataTableの関連付け③

DataGridViewにbookDataTableの内容が表示される

bookDataGridとbookDataTableを紐付けたことで、bookDataTableにデータを追加/削除すると、自動的にbookDataGridの見た目も更新されます。

Fig DataTableへデータを追加する

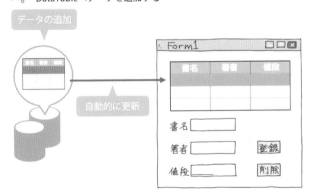

^{step}
05 データを登録するイベントハンドラの実装

bookDataGridとbookDataTableが紐付けられたので、書籍情報を追加するAddButtonClicked
イベントハンドラの実装に取りかかりましょう。

次のプログラムは、「登録」Buttonを押したときに、TextBoxとMaskedTextBoxに入力している
「書名」「著者」「値段」の情報をまとめて、bookDataTableに登録するものです。Form1.csを開いて、
実際に入力してみてください。

List 7-10　DataTableにデータを登録する（Form1.cs）　　　　　　　　　　　　　⬇ list7-10.txt

```
 1 using System;
 2 using System.Collections.Generic;
 3 using System.ComponentModel;
 4 using System.Data;
 5 using System.Drawing;
 6 using System.Linq;
 7 using System.Text;
 8 using System.Threading.Tasks;
 9 using System.Windows.Forms;
10
11 namespace BookManager
12 {
13     public partial class Form1 : Form
14     {
15         public Form1()
16         {
17             InitializeComponent();
18         }
19
20         private void AddButtonClicked(object sender, EventArgs e)
21         {
22             // DataTableにデータを追加する
23             bookDataSet.bookDataTable.AddbookDataTableRow(
24                 this.bookName.Text,
25                 this.author.Text,
26                 int.Parse(this.price.Text));
27         }
28
29         private void RemoveButtonClicked(object sender, EventArgs e)
30         {
31
```

```
32            }
33        }
34 }
```

　プログラムが入力できたら実行してみましょう。MaskedTextBoxは左詰めで文字を入力するので、カーソルを左端に移動してから入力してください。書籍情報を入力して登録ボタンをクリックすると、表に情報が登録されます。
　bookDataTableとbookDataGridは紐付いているため、bookDataTableにデータを追加すると、フォーム上のDataGridViewの見た目も自動的に更新されます。

Fig　入力した情報が表に反映される

(解説) DataTableにデータを登録する

　AddButtonClickedイベントハンドラの中で、テキストボックスに入力された書籍データをbookDataTableに登録しています。
　DataTableにデータを登録するには次のようにメソッドを呼び出します。

書式　DataTableにデータを追加するメソッド

[データセット名].[データテーブル名].Add[データテーブル名]Row(登録する1行ぶんのデータ)

　ここでは、データセット名が「bookDataSet」となります。データセット作成時にBookDataSetと先頭を大文字にして名前を付けましたが、これはクラス名です。ここではBookDataSetクラスのbookDataSet変数（自動生成された変数です）を使うため、先頭は小文字になっています。また、データテーブル名は「bookDataTable」です。したがって、呼び出すメソッド名は「`bookDataSet.bookDataTable.AddbookDataTableRow`」になります。

引数には、DataTableに登録する1行ぶんのデータを渡します。データの項目が複数ある場合は「,」で区切って順番に指定（ここでは、書名・著者・値段を指定）します。

引数を渡す順番は、DataTableに追加した列に揃えて「書名」「著者」「値段」の順に渡しています。また、それぞれの引数にはTextBoxやMaskedTextBoxのTextプロパティの値を渡しています。書籍の値段はint型で登録するため、Parseメソッドを使ってstring型からint型に変換しています（MaskedTextBoxは入力可能な文字を制限するだけです。今回のように数値を入力可能にしたからといって、プログラム内でも数値として扱われるわけではありません）。

Parseは引数に与えた文字列を数値にして返すメソッドです。TryParseと似ていますが、Parseメソッドは変換できるかどうかをチェックしません。今回はMaskedTextBoxに入力できる文字を数値に限定しているので、TryParseではなくParseメソッドを使っています。

サンプルファイル ▶ list¥chapter7¥list7-11.txt

step 06 データを削除するイベントハンドラの実装

「削除」Buttonを押したら書籍の登録情報が消えるようにRemoveButtonClickedイベントハンドラを実装します。次のプログラムを入力してください。

List 7-11 ▶ DataGridViewのデータを削除する（Form1.cs）　　　　　　　⬇ list7-11.txt

```
 1 using System;
 2 using System.Collections.Generic;
 3 using System.ComponentModel;
 4 using System.Data;
 5 using System.Drawing;
 6 using System.Linq;
 7 using System.Text;
 8 using System.Threading.Tasks;
 9 using System.Windows.Forms;
10
11 namespace BookManager
12 {
13     public partial class Form1 : Form
14     {
15         public Form1()
16         {
17             InitializeComponent();
18         }
19
20         private void AddButtonClicked(object sender, EventArgs e)
21         {
```

```
22              // DataTableにデータを追加する
23              bookDataSet.bookDataTable.AddbookDataTableRow(
24                  this.bookName.Text,
25                  this.author.Text,
26                  int.Parse(this.price.Text));
27          }
28
29          private void RemoveButtonClicked(object sender, EventArgs e)
30          {
31              // 選択した行のデータを削除する
32              int row = this.bookDataGrid.CurrentRow.Index;
33              this.bookDataGrid.Rows.RemoveAt(row);
34          }
35      }
36 }
```

解説 DataTableからデータを削除する

RemoveButtonClickedイベントハンドラの中では、DataGridViewで選択した行のデータを削除しています。32行目では、bookDataGridで選択している行のインデックスを**CurrentRow.Index**プロパティで取得しています。続く33行目では、取得したインデックスを**RemoveAt**メソッドの引数に渡すことで、選択中のデータを消去しています。実行して、選択した行の書籍情報が削除されることを確かめてみましょう。

Fig 選択した行を削除する

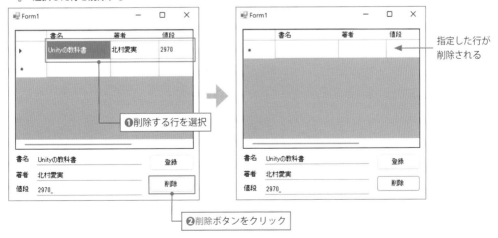

❶削除する行を選択

❷削除ボタンをクリック

指定した行が削除される

7-5
ドローアプリ
～複数のフォーム画面を
使ったアプリケーション～

7章の最後は、ドローアプリを作ります。

今回作るドローアプリの画面イメージは次のようになります。フォームが2つあり、1つは図形を描画するためのキャンバスウィンドウ、もう1つは描画する図形の種類や色、線の太さを選べるパレットウィンドウになります。

Fig　ドローアプリの完成イメージ

パレットウィンドウ　　　　　　　　　　　　　　キャンバスウィンドウ

キャンバスウィンドウ上でマウスをドラッグすると、パレットウィンドウで選択した図形を任意の大きさで描画できます。

Fig　ドローアプリの動き

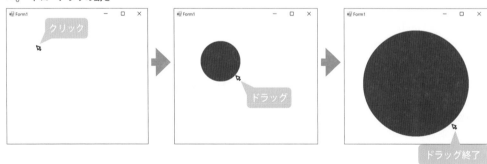

まずは円を描画するだけの処理から作り始めて、他の機能は徐々に追加していきましょう。今回のアプリケーションを作る流れは次の通りです。

❶ プロジェクトの作成
❷ フォームに円を描画する
❸ マウスのドラッグで円を描画する
❹ 描画できる図形の種類を増やす
❺ パレットの作成
❻ パレットの情報を描画に反映させる

step 01　プロジェクトを作成しよう

　プロジェクトを作成しましょう。これまでと同様、Visual Studioの起動画面から新しいプロジェクトの作成を選択してください（既にVisual Studioを開いている場合はメニューバーからファイル→新規作成→プロジェクトを選択してください）。

Fig　プロジェクトの作成①

新しいプロジェクト
の作成を選択

新しいプロジェクトの作成画面が表示されます。画面右側からWindowsフォームアプリケーション（.NET Framework）を選択して、次へボタンをクリックします。

Fig　プロジェクトの作成②

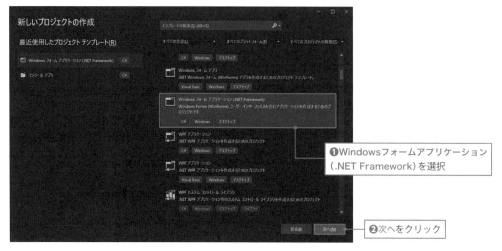

❶Windowsフォームアプリケーション（.NET Framework）を選択

❷次へをクリック

　ここではプロジェクト名を「DrawApp」としましょう。プロジェクトを保存する場所（任意）を指定して、作成ボタンをクリックしてください。

Fig　プロジェクトの名前と保存場所を設定する

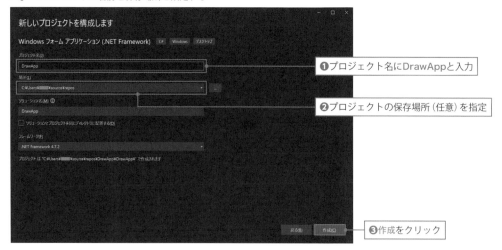

❶プロジェクト名にDrawAppと入力

❷プロジェクトの保存場所（任意）を指定

❸作成をクリック

今回はキャンパスウィンドウとパレットウィンドウの2つのウィンドウを作ります。まずは図形が描画できることを確認したいので、キャンパスウィンドウから作りましょう。

キャンパスウィンドウはこれまでと同じく、プロジェクトを作成した際に生成されるForm1の画面を編集します。フォームをドラッグして、大きめのサイズ（おおよそで大丈夫です）に変更してください。パレットウィンドウ用のフォームの作り方は339ページで紹介します。

Fig　フォームのサイズ変更

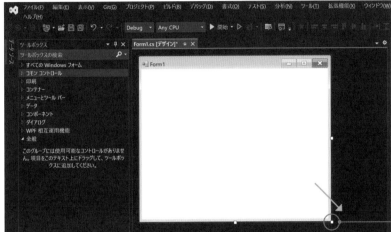

ドラッグしてサイズを調整

サンプルファイル ▶ list¥chapter7¥list7-12.txt

step 02　フォームに円を描いてみよう

フォーム上に円を描画するプログラムを作ります。既に用意してある画像ファイルを表示する場合は基本的にピクチャーボックス（PictureBox）を使いますが、今回はアプリ実行中にユーザーがフォーム上に図形を描画します。そこで今回はピクチャーボックスではなく、フォーム上に図形を表示するGraphicsクラスを使います。

Fig　PictureBoxとGraphics

PictureBox
画像を表示

Graphics
フォーム上に図形を描画

Graphicsクラスを使って図形を描画するには、これまでのようにコントロールを配置するのではなく、Formの持つ**Paint**イベントにイベントハンドラを追加し、そこに描画処理を書きます。

　Paintイベントハンドラに描画処理を書く

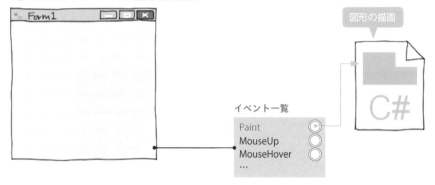

Paintイベントは「画面の再描画が必要になったとき」に発生します。「再描画が必要なとき」というのは「最初にアプリケーションを起動したとき」や「背面のウィンドウが最前面に移動したとき」、「プログラムからInvalidateメソッド（334ページ）を呼び出したとき」などです。

　再描画が起こるタイミング

「Form1」の「Paint」イベントにイベントハンドラを追加しましょう。Form1を選択してから、プロパティウィンドウの**イベント**タブを選択して、「Paint」の欄に「DrawFigures」と入力して Enter キーを押してください。

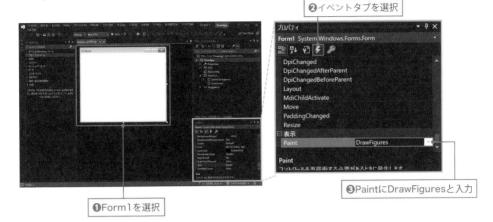

❷イベントタブを選択

❶Form1を選択

❸PaintにDrawFiguresと入力

DrawFiguresイベントハンドラの中に円を描画するプログラムを書きます。Form1.csを開き、次のプログラムを入力してください。

List 7-12　円を描画する（Form1.cs）　　　　　　　　　　　　　　　📄 list7-12.txt

```
1  using System;
2  using System.Collections.Generic;
3  using System.ComponentModel;
4  using System.Data;
5  using System.Drawing;
6  using System.Linq;
7  using System.Text;
8  using System.Threading.Tasks;
9  using System.Windows.Forms;
10
11 namespace DrawApp
12 {
13     public partial class Form1 : Form
14     {
15         public Form1()
16         {
17             InitializeComponent();
18         }
19
20         private void DrawFigures(object sender, PaintEventArgs e)
21         {
22             // 円を描画する
23             SolidBrush brush = new SolidBrush(Color.Purple);
24             e.Graphics.FillEllipse(brush, 0, 0, 200, 200);
```

7

7-5

▼
ドローアプリ〜複数のフォーム画面を使ったアプリケーション〜

```
25            }
26        }
27 }
```

アプリケーションを実行すると、フォームの左上に円が描画されます。

Fig　アプリケーションを実行する

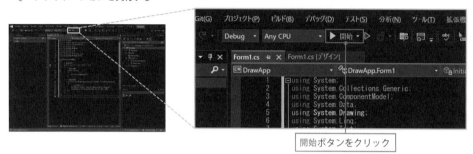

開始ボタンをクリック

Fig　円が描画される

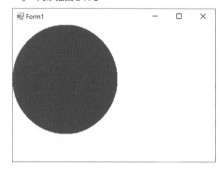

解説 図形を描画する

　DrawFiguresイベントハンドラには、紫色で塗りつぶした円をフォーム上に描画するプログラム
を書いています。

　塗りつぶしの図形を描画するには、塗りつぶすためのブラシを作る必要があります。このブラシ
はSolidBrush型で作ることができ、インスタンス生成時にコンストラクタの引数にブラシの色を
指定します。ここでは引数に「Color.Purple」を渡して紫色のブラシを作っています（23行目）。

　円を描画するにはイベントハンドラの引数のPaintEventArgsクラスが持つGraphicsプロパティ
を使います。このGraphicsプロパティにアクセスすることで描画に使用するGraphicsクラスのイ

ンスタンスを取得できます。このインスタンスの持つメソッドを使い、画面上に図形を描画します。ここでは、円の描画にFillEllipseメソッドを使います。今回、FillEllipseメソッドの第1引数に図形を塗りつぶすブラシ、第2・第3引数には始点座標である「0, 0」、第4・第5引数には幅と高さ「200,200」を指定して描画しています。

Fig　FillEllipseメソッドの使い方

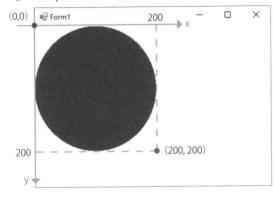

書式　FillEllipseメソッド（Graphicsクラス）

```
FillEllipse(塗りつぶすブラシ(solidBrush型)，始点x座標，始点y座標，描画幅，描画高さ)
```

🦭 円を綺麗に描画したい

　実行して円を描画してみると、円の周囲がギザギザで気になったかもしれません。これを綺麗に見せるためにはアンチエイリアス（Anti-Alias）という機能を使います。アンチエイリアスを有効にするにはGraphicsクラスのSmoothingModeというプロパティにSmoothingMode.AntiAliasを指定します。これはプロパティウィンドウでは設定できないので、プログラムから設定します。usingの並びの一番下に「using　System.Drawing.Drawing2D;」を追加し、DrawFiguresメソッドの最初に「e.Graphics.SmoothingMode = SmoothingMode.AntiAlias;」を追加します。気になる方は試してみてください。

step 03 マウスのドラッグに応じて円の大きさを変えよう

円の描画ができることを確認したので、次はマウスをドラッグして好みの位置と大きさの円を描けるようにしましょう。最初にクリックした点から、ドラッグを終えた点の範囲で円を描きます。動作のイメージは下図のようになり、ドラッグしている間は円の大きさが変化します。

Fig 任意の大きさの円を描画する

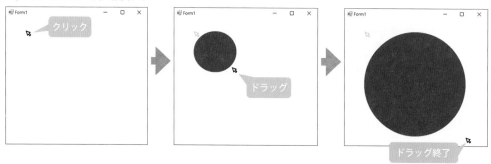

この機能をプログラムで作る場合、「マウスがクリックされたこと」と「ドラッグ中であること」を検知する必要があります。マウスのイベント情報は次の表のように取得できます。

Table マウスに関する主なイベント

イベント	動作
MouseDown	マウスボタンが押されたことを検知
MouseMove	マウスの移動を検知
MouseUp	マウスボタンが離されたことを検知

マウスのイベントはFormが受け付けるので、Formのイベントにイベントハンドラを追加しましょう。

Form1［デザイン］タブを選択して、Form1を選択した状態で、プロパティウィンドウの「Mouse Down」欄に「MousePressed」、「MouseMove」欄に「MouseDragged」と入力してください。

Fig　マウスのイベントハンドラを追加する

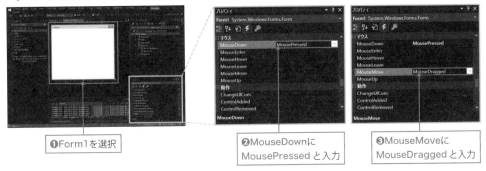

❶Form1を選択

❷MouseDownに
MousePressed と入力

❸MouseMoveに
MouseDragged と入力

Form1.csに追加されたイベントハンドラに次のプログラムを入力してください。

List 7-13　ドラッグの範囲に合わせて円を描画する（Form1.cs）　　　⬇ list7-13.txt

```
 1 using System;
 2 using System.Collections.Generic;
 3 using System.ComponentModel;
 4 using System.Data;
 5 using System.Drawing;
 6 using System.Linq;
 7 using System.Text;
 8 using System.Threading.Tasks;
 9 using System.Windows.Forms;
10
11 namespace DrawApp
12 {
13     public partial class Form1 : Form
14     {
15         Point startPos, endPos;
16
17         public Form1()
18         {
19             InitializeComponent();
20         }
21
22         private void DrawFigures(object sender, PaintEventArgs e)
23         {
24             // 円を描画する
25             SolidBrush brush = new SolidBrush(Color.Purple);
26
27             int width = this.endPos.X - this.startPos.X;
28             int height = this.endPos.Y - this.startPos.Y;
```

7

7-5
▼
ドローアプリ〜複数のフォーム画面を使ったアプリケーション〜

333

```
29
30              e.Graphics.FillEllipse(brush,
31                  this.startPos.X, this.startPos.Y, width, height);
32          }
33
34      private void MousePressed(object sender, MouseEventArgs e)
35      {
36          // 円の始点座標をstartPosに保存する
37          this.startPos = new Point(e.X,e.Y);
38      }
39
40      private void MouseDragged(object sender, MouseEventArgs e)
41      {
42          if (e.Button == MouseButtons.Left)  // ドラッグしている場合
43          {
44              // 終点座標を更新する
45              this.endPos = new Point(e.X, e.Y);
46              Invalidate();
47          }
48      }
49  }
50 }
```

解説 ドラッグで円を描画する

　円の描画に必要な始点座標と終点座標を保持するため、メンバ変数にPoint型のstartPos変数と
endPos変数を宣言しています（15行目）。Pointは2次元座標を保持するために使う型で、int型のX
とYの変数を持ちます。

　円を描画する流れは次のようになります。マウスがクリックされたときに始点座標をstartPos変
数に代入します（次図左）。ドラッグしている間は終点座標をendPosに代入し続け、startPosから
endPosの範囲で円を描画します（次図中～右）。

Fig　ドラッグで円を描画する

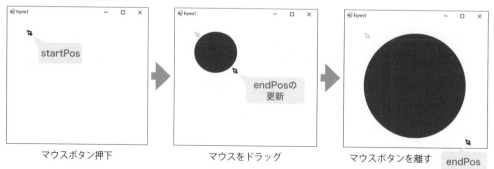

マウスボタン押下　　　　　マウスをドラッグ　　　　　マウスボタンを離す

MousePressedイベントハンドラの中では、マウスが押されたときの座標をstartPos変数に代入しています。またMouseDraggedイベントハンドラの中では、マウスがドラッグされている場合にドラッグ中の座標を毎回endPos変数に代入しています。

さらに、endPos変数に値を代入した直後にInvalidateメソッドを実行することで、Paintイベントが発生し、DrawFiguresイベントハンドラの処理が実行されます。

DrawFiguresイベントハンドラの中ではList 7-12のときと同じくFillEllipseメソッドを使って円を描画しています（30行目〜31行目）。円を描画する範囲は次図のように、startPosからendPosの範囲を指定しています。

Fig　FillEllipseメソッドの引数

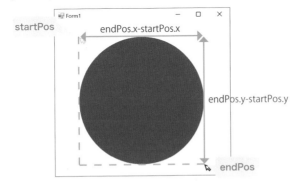

📟 画面がちらつく

プログラムを実行して円を描画してみると、画面がちらつくかと思います。これを防ぐために、Form1のプロパティウィンドウから「DoubleBuffered」を「True」にしてください。

ダブルバッファは描画過程を画面に表示せず、描画が完成してから一気に画面に表示する仕組みです。この仕組みにより、画面切り替え時のちらつきを抑えられます。

Fig　画面のちらつきを抑える設定

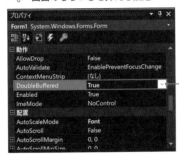

step 04 様々な図形を描画しよう

円が描けるようになったので、四角形や直線など他の図形も描画できるようにしましょう。次の
プログラムを入力してください。

List 7-14 各図形を描画する（Form1.cs） ⬇ list7-14.txt

```
 1 using System;
 2 using System.Collections.Generic;
 3 using System.ComponentModel;
 4 using System.Data;
 5 using System.Drawing;
 6 using System.Linq;
 7 using System.Text;
 8 using System.Threading.Tasks;
 9 using System.Windows.Forms;
10
11 namespace DrawApp
12 {
13     public partial class Form1 : Form
14     {
15         Point startPos, endPos;
16
17         public Form1()
18         {
19             InitializeComponent();
20         }
21
22         private void DrawFigures(object sender, PaintEventArgs e)
23         {
24             int type = 2;            // 図形の種類
25             Color color = Color.Purple; // 図形の色
26             int penSize = 3;            // ペンの太さ
27
28             if (type == 1)   // 円を描画する
29             {
30                 SolidBrush brush = new SolidBrush(color);
31
32                 int width = this.endPos.X - this.startPos.X;
33                 int height = this.endPos.Y - this.startPos.Y;
34                 e.Graphics.FillEllipse(brush, this.startPos.X,
35                                     this.startPos.Y, width, height);
36             }
```

```
37            else if (type == 2)    // 長方形を描画する
38            {
39                SolidBrush brush = new SolidBrush(color);
40
41                int width = this.endPos.X - this.startPos.X;
42                int height = this.endPos.Y - this.startPos.Y;
43                e.Graphics.FillRectangle(brush, this.startPos.X,
44                                    this.startPos.Y, width, height);
45            }
46            else if (type == 3)    // 直線を描画する
47            {
48                Pen p = new Pen(color, penSize);
49                e.Graphics.DrawLine(p, this.startPos.X, this.startPos.Y,
50                                    this.endPos.X, this.endPos.Y);
51            }
52        }
53
54        private void MousePressed(object sender, MouseEventArgs e)
55        {
56            // 円の始点座標をstartPosに保存する
57            this.startPos = new Point(e.X, e.Y);
58        }
59
60        private void MouseDragged(object sender, MouseEventArgs e)
61        {
62            if (e.Button == MouseButtons.Left)    // ドラッグしている場合
63            {
64                // 終点座標を更新する
65                this.endPos = new Point(e.X, e.Y);
66                Invalidate();
67            }
68        }
69    }
70 }
```

このプログラムを実行すると、左上から右下に向かってドラッグした範囲の四角形を描画します。

Fig 実行結果

 円・長方形・直線を描画する

円だけではなく、長方形と直線も描けるようにプログラムを修正しています。24行目で描画する図形を指定するtype変数を作り、この値によって描画する図形を場合分けしています（28行目～51行目）。

type変数の値と、描画する図形の関係は次のようになります。このプログラムでは、type変数に「2」を代入しているので、長方形を描画します。

Table type変数の値と図形の関係

typeの値	図形
1	円
2	長方形
3	直線

長方形の描画にはFillRectangleメソッドを使っています（43行目～44行目）。FillRectangleメソッドの引数は次の通りです。

書式 FillRectangleメソッド（Graphicsクラス）

```
FillRectangle(塗りつぶすブラシ(SolidBrush型)，左上x座標，左上y座標，描画幅，描画高さ)
```

また、48行目～50行目は直線を描画するプログラムです。塗りつぶされた図形を描画するにはブラシが必要でしたが、直線を描くにはペンを作る必要があります。ペンはPen型で作ることができ、コンストラクタの第1引数に色、第2引数に線の太さを指定します（48行目）。

Fig　ペンとブラシ

線はPen型で描画　　　　　塗りはSolidBrush型で描画

　直線を描画するには**DrawLine**メソッドを使用します。DrawLineメソッドの第1引数にはPen型の値を渡し、第2〜第4引数には始点座標と終点座標を渡します（49行目〜50行目）。

> **書式**　DrawLineメソッド（Graphicsクラス）
>
> DrawLine(ペンの種類（Pen型）, 始点x座標,　始点y座標,　終点x座標,　終点y座標)

　24行目のtype変数の値を書き換えて、円と直線も描画できることを確認してみてください。

サンプルファイル ▶ list¥chapter7¥list7-15.txt

step 05　パレットを表示しよう

　図形や色、線の太さをユーザーが変更できるように**パレットウィンドウ**を作成します。パレットは、描画用のウィンドウとは別のウィンドウで表示し、円・長方形・直線を選択するボタンと、色を変更するボタン、線の太さを指定するテキストボックスを配置します。色を指定するボタンが押されたときは、次図の右側のようなカラーダイアログを表示し、選択した色をボタンに表示します。

Fig　パレットウィンドウ

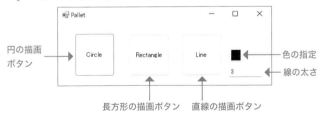
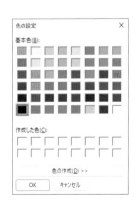

円の描画ボタン　→　Circle　　Rectangle　　Line　　→　色の指定

3　→　線の太さ

長方形の描画ボタン　　直線の描画ボタン

プロジェクトにWindowsフォームを新しく追加して、パレットウィンドウを作ります。追加したWindowsフォームも、これまで使ってきたForm1と同じように編集できます。

◆ フォームを追加する

Windowsフォームを追加しましょう。ソリューションエクスプローラーのDrawAppの上で右クリックし、追加→新しい項目を選択してください。

Fig　フォームの追加①

新しい項目の追加画面が表示されたら、左側の項目でC#個の項目→Windows Formsを選択します（これらの項目が表示されていない場合は、すべてのテンプレートの表示ボタンをクリックしてください）。中央の項目でフォーム（Windowsフォーム）を選択したら、名前に「Pallet.cs」と入力してから、追加ボタンをクリックしてください。

Fig　フォームの追加②

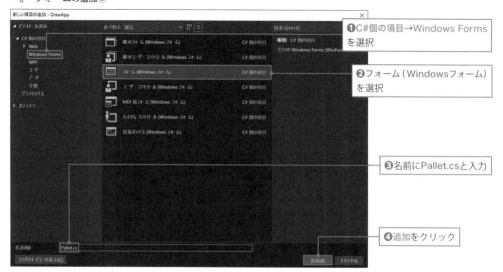

Windowsフォームデザイナーに戻ると、新しくPallet.cs［デザイン］タブが追加され、Pallet
フォームが表示されています。フォームの端をドラッグして横長に変更しましょう。

Fig　フォームのサイズを調整する

Pallet.cs［デザイン］タブが追加される

ドラッグしてサイズ
を調整

◆ フォームにコントロールを配置する

続いてフォーム上にコントロールを配置します。ツールバーからPalletフォーム上にButtonを4
つとTextBoxを1つドラッグ＆ドロップし、次の図のように配置してください（もし入り切らな
かったらフォームの大きさも調整しましょう）。また、各コントロールのプロパティについても次
図を参考にしながら設定してください。

Fig　コントロールの追加と設定

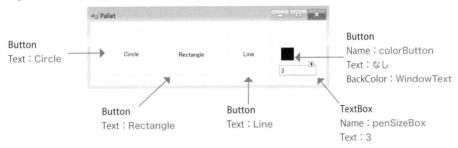

Button
Text：Circle

Button
Name：colorButton
Text：なし
BackColor：WindowText

Button
Text：Rectangle

Button
Text：Line

TextBox
Name：penSizeBox
Text：3

コントロールを配置できたので、試しに一度パレットを表示してみましょう。開始ボタンを押し
て表示…したいところですが、このままではForm1のウィンドウしか表示されません。パレット
ウィンドウも表示するため、Form1.csを次のように入力してください。

List 7-15　新しく作ったウィンドウを表示する（Form1.cs）　list7-15.txt

```
13  public partial class Form1 : Form
14  {
15      Point startPos, endPos;
16      Pallet pallet;
17
18      public Form1()
19      {
20          InitializeComponent();
21          this.pallet = new Pallet();
22          pallet.Show();
23      }
~   ...省略...
73  }
```

実行すると、Form1のキャンパスウィンドウとPalletのパレットウィンドウが表示されます。

Fig　キャンパスウィンドウとパレットウィンドウが表示される

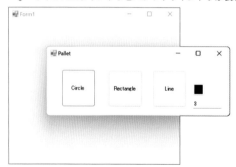

 解説 パレットウィンドウを表示する

　パレットウィンドウを作成しただけでは表示されない理由は、Palletフォームのインスタンスを作っていないためです。Form1のインスタンスは「Program.cs」で作られるためプログラマが生成する必要はありませんが、Palletフォームのインスタンスはプログラマが生成する必要があります。パレットウィンドウを表示するため、Form1のコンストラクタの中でPalletのインスタンスを作成します。

　16行目でPalletクラスのpallet変数を作り、Form1のコンストラクタでPalletクラスのインスタンスを作成してからパレットウィンドウを表示（21行目〜22行目）しています。

Fig　Palletクラスのインスタンスが生成されるまで

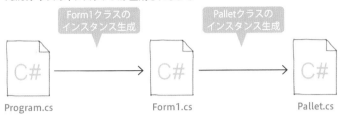

サンプルファイル ▶ list¥chapte7¥list7-16.txt 〜 List7-17.txt

$\overset{\text{step}}{06}$　パレットの中身を実装しよう

　パレットウィンドウで選択された内容に応じて、描画する図形を変化させます。Palletクラス側で選択された図形や色、線の太さなどの情報を保持しておき、キャンバスウィンドウで図形を描くときに、その情報を参照できるようにしましょう。

Fig　描画の流れ

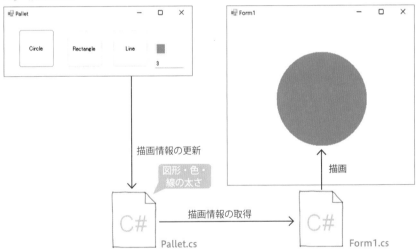

　描画する図形情報をメンバ変数に保存するために、各ボタンにイベントハンドラを追加します。Pallet.cs［デザイン］タブを選択し、次図を参考に、プロパティウィンドウからイベントハンドラを追加してください。

Fig　イベントハンドラの追加

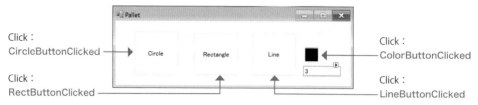

Click：
CircleButtonClicked

Click：
RectButtonClicked

Click：
ColorButtonClicked

Click：
LineButtonClicked

　　Pallet.csにはユーザーが選択した図形・色・線の太さを保持する処理を追加し、Form1.csには
Palletクラスの情報に従って図形を描画する処理を追加します。それぞれ次のプログラムを入力し
てください。

List 7-16　図形の色や形を設定する処理を追加（Pallet.cs）　　　　　　　　　　　⬇ list7-16.txt

```
 1 using System;
 2 using System.Collections.Generic;
 3 using System.ComponentModel;
 4 using System.Data;
 5 using System.Drawing;
 6 using System.Linq;
 7 using System.Text;
 8 using System.Threading.Tasks;
 9 using System.Windows.Forms;
10
11 namespace DrawApp
12 {
13     public partial class Pallet : Form
14     {
15         int figureType;   // 図形の種類
16
17         // 図形の種類を取得する
18         public int GetFigureType()
19         {
20             return figureType;
21         }
22
23         // ペンの太さを取得する
24         public int GetPenSize()
25         {
26             int size;
27             if (int.TryParse(this.penSizeBox.Text, out size))
28             {
29                 return size;
30             }
31             else
```

```
 32                    {
 33                        return 1;
 34                    }
 35            }
 36
 37            // 図形の色を取得する
 38            public Color GetColor()
 39            {
 40                return colorButton.BackColor;
 41            }
 42
 43        public Pallet()
 44        {
 45            InitializeComponent();
 46            this.figureType = 1;
 47        }
 48
 49        private void CircleButtonClicked(object sender, EventArgs e)
 50        {
 51            this.figureType = 1;
 52        }
 53
 54        private void RectButtonClicked(object sender, EventArgs e)
 55        {
 56            this.figureType = 2;
 57        }
 58
 59        private void LineButtonClicked(object sender, EventArgs e)
 60        {
 61            this.figureType = 3;
 62        }
 63
 64        private void ColorButtonClicked(object sender, EventArgs e)
 65        {
 66            // カラーダイアログを表示する
 67            ColorDialog colorDialog = new ColorDialog();
 68
 69            if (colorDialog.ShowDialog() == DialogResult.OK)
 70            {
 71                // 選択した色をボタンに設定する
 72                colorButton.BackColor = colorDialog.Color;
 73            }
 74        }
 75    }
 76 }
```

7-5

▼

ドローアプリ～複数のフォーム画面を使ったアプリケーション～

345

```
25  private void DrawFigures(object sender, PaintEventArgs e)
26  {
27      // パレット情報を参照する
28      int type = this.pallet.GetFigureType();
29      Color color = this.pallet.GetColor();
30      int penSize = this.pallet.GetPenSize();
31
32      if (type == 1)  // 円を描画する
33      {
34          SolidBrush brush = new SolidBrush(color);
35
36          int width = this.endPos.X - this.startPos.X;
37          int height = this.endPos.Y - this.startPos.Y;
38          e.Graphics.FillEllipse(brush, this.startPos.X,
39                              this.startPos.Y, width, height);
40      }
41      else if (type == 2)  // 長方形を描画する
42      {
43          SolidBrush brush = new SolidBrush(color);
44
45          int width = this.endPos.X - this.startPos.X;
46          int height = this.endPos.Y - this.startPos.Y;
47          e.Graphics.FillRectangle(brush, startPos.X, startPos.Y,
48                              width, height);
49      }
50      else if (type == 3)  // 直線を描画する
51      {
52          Pen p = new Pen(color, penSize);
53          e.Graphics.DrawLine(p, this.startPos.X, this.startPos.Y,
54                          this.endPos.X, this.endPos.Y);
55      }
56  }
```

　実行すると、パレットウィンドウで選択した図形をキャンパスウィンドウで描画できます。色や図形の種類、線の太さを変えて正しく動作するか試してみてください。

Fig　選択した図形を描画できる

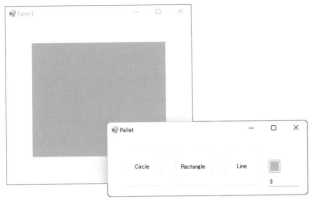

（解説） パレットウィンドウの中身

　Pallet.csのプログラムから見ていきます。描画する図形の種類は15行目で宣言したfigureType
変数に持たせます。コンストラクタの中ではfigureTypeを「1」に設定しておき、図形ボタンが押
されたときにはそれぞれのイベントハンドラの中で「1：円、2：長方形、3：直線」と設定します。
　色を選択するボタンが押された場合は、カラーダイアログ（次図）を表示します。
　カラーダイアログを表示するためにはColorDialogクラスを利用します。色を選択するボタンが
押されたときに、ColorButtonClickedイベントハンドラでColorDialogのインスタンスを作成し、
ShowDialogメソッドでカラーダイアログを表示しています（67行目〜73行目）。

Fig　カラーダイアログ

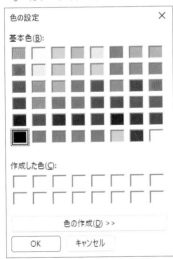

347

カラーダイアログの処理が行われている間はアプリケーションの処理は止まり、カラーダイアログの「OK」ボタンが押されたタイミングで処理が再開します。カラーダイアログで選択された色はColorプロパティで取得し、色を選択するボタン（colorButton変数）のBackColorプロパティに代入しています（72行目）。これによりボタンの色がユーザーの選んだ色になります。

　また、Form1クラスがPalletクラスの持つ図形の種類、色情報、ペンの太さを取得できるように、GetFigureTypeメソッド、GetColorメソッド、GetPenSizeメソッドを作成しています（18行目〜41行目）。GetColorメソッドの中ではcolorButton変数に入っている色の値を返しています。また、GetPenSizeメソッドの中では、penSizeBox変数に入力されている値をint型の値に変換して返しています。penSizeBox変数に正しい値が設定されていない場合、線の太さは常に「1」になります。

Fig　カラーパレットの情報を取得する

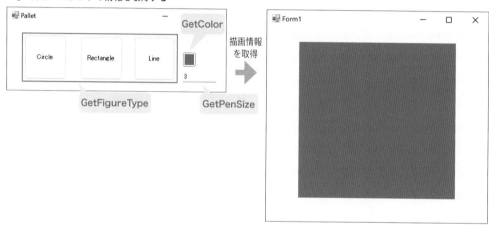

　Form1クラスでは、Palletクラスで作成したメソッドを使って「図形」「色」「ペンの太さ」を取得し、これらの情報を使ってフォームに図形を描画しています。

Index

■著者プロフィール

北村 愛実（きたむら まなみ）

1988年生まれ。立命館大学院理工学研究科卒業。大学院では画像処理を利用したスマートフォン用のアプリケーションやゲームを開発する。IT企業の研究職を経て、現在は主婦をやりつつ執筆やイラスト制作に励んでいる。主な著書に『Unityの教科書』『プログラミング教育対応 Scratchで楽しむプログラミングの教科書』（SBクリエイティブ）がある。

■本書サポートページ

本書内で紹介したサンプルプログラムは、下記のURLよりダウンロード可能です。また、本書をお読みいただいたご感想、ご意見をお寄せください。

URL https://isbn2.sbcr.jp/23173/

確かな力が身につく C#「超」入門 第3版

2023年11月10日　初版第1刷発行

著者 …………………………	北村愛実（きたむらまなみ）
発行者 …………………………	小川 淳
発行所 …………………………	SBクリエイティブ株式会社
	〒106-0032　東京都港区六本木2-4-5
	TEL 03-5549-1201（営業）
	https://www.sbcr.jp
印刷 …………………………	株式会社シナノ
本文キャラクターデザイン	ふかざわあゆみ
本文デザイン・組版 …………	クニメディア株式会社
装丁 …………………………	米倉英弘（株式会社 細山田デザイン事務所）

落丁本、乱丁本は小社営業部にてお取り替えいたします。
定価はカバーに記載されております。

Printed In Japan ISBN978-4-8156-2317-3